A-Z CHESTERFIELD

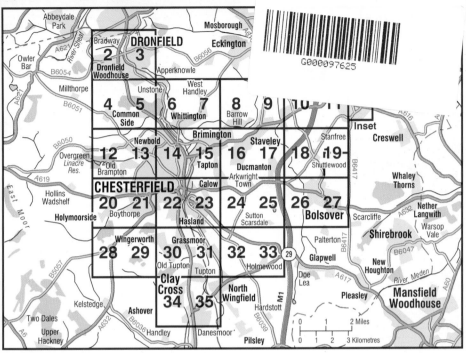

Reference

Motorway M1	
A Road A61	
Proposed	
B Road B6051	
Dual Carriageway	
One Way Street Traffic flow on A roads is indicated by a heavy line on the driver's left.	
Pedestrianized Road	
Restricted Access	
Track & Footpath	
Residential Walkway	
Railway Level Crossing / Station	

Built Up Area HIGH ST.	
Local Authority Boundary	
Postcode Boundary	
Map Continuation 23	
Car Park P	
Church or Chapel †	
Fire Station ■	
House Numbers A & B Roads only 27 8	
Information Centre 🛈	
National Grid Reference 370	
Police Station ▲	

Post Office ★	
Toilet with Facilities for the Disabled ▽ ♿	
Educational Establishment	
Hospital or Health Centre ⊞	
Industrial Building	
Leisure or Recreational Facility	
Places of Interest	
Public Building	
Shopping Centre or Market	
Other Selected Buildings	

Scale

Scale 1:15,840 6.31cm to 1km
4 inches (10.16 cm) to 1 mile

Geographers' A-Z Map Company Ltd.

Head Office : Fairfield Road, Borough Green, Sevenoaks, Kent TN15 8PP Tel: 01732 781000
Showrooms : 44 Gray's Inn Road, London WC1X 8HX Tel: 0171 242 9246

Based upon the Ordnance Survey mapping with the permission of
The Controller of Her Majesty's Stationery Office. © Crown Copyright (399000)

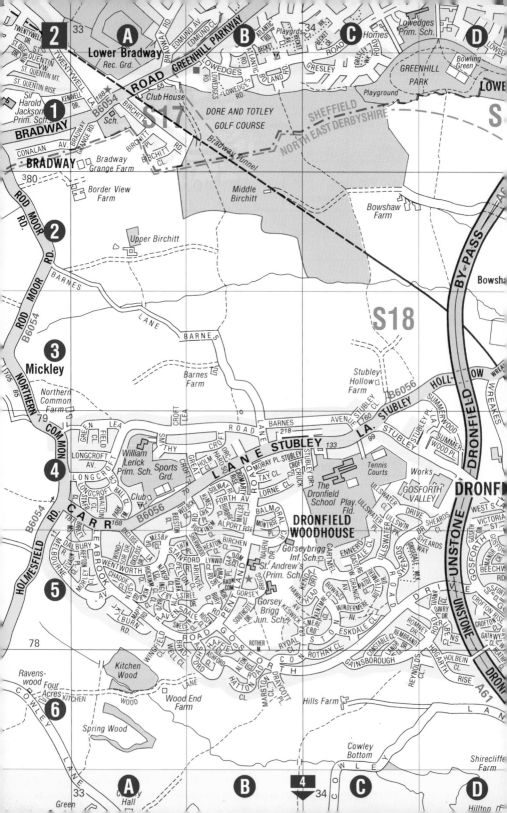

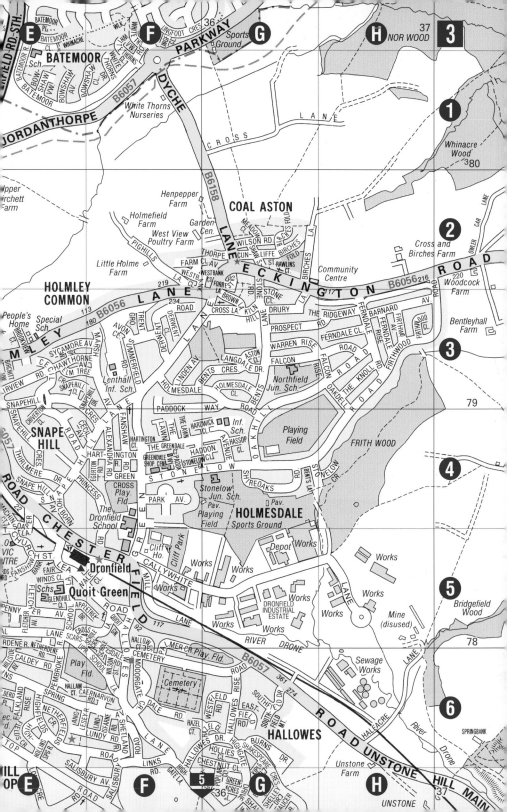

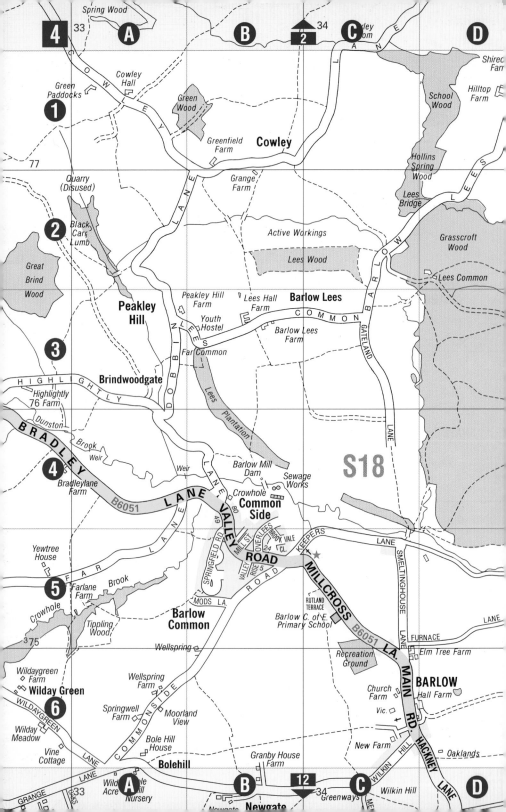

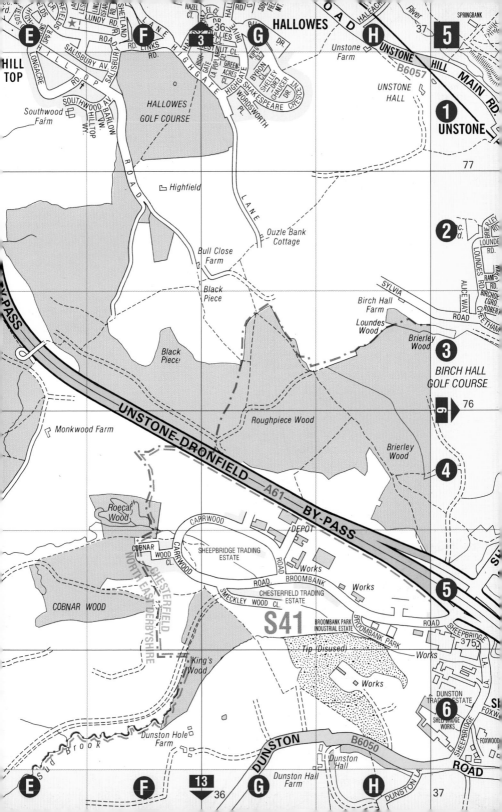

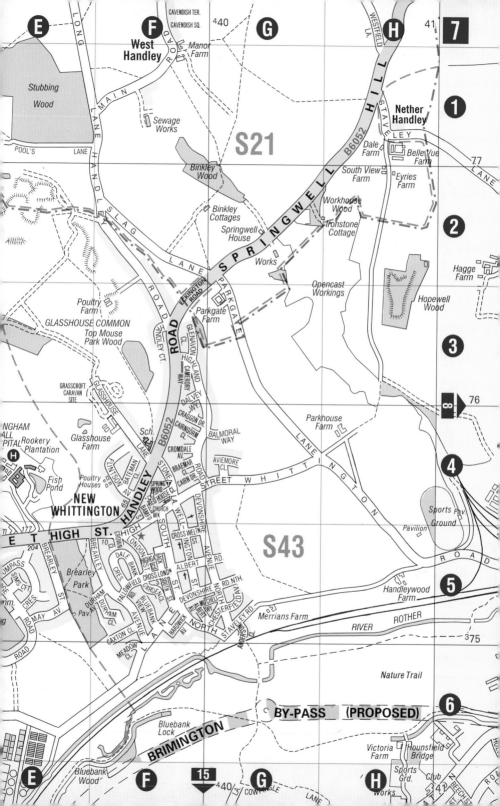

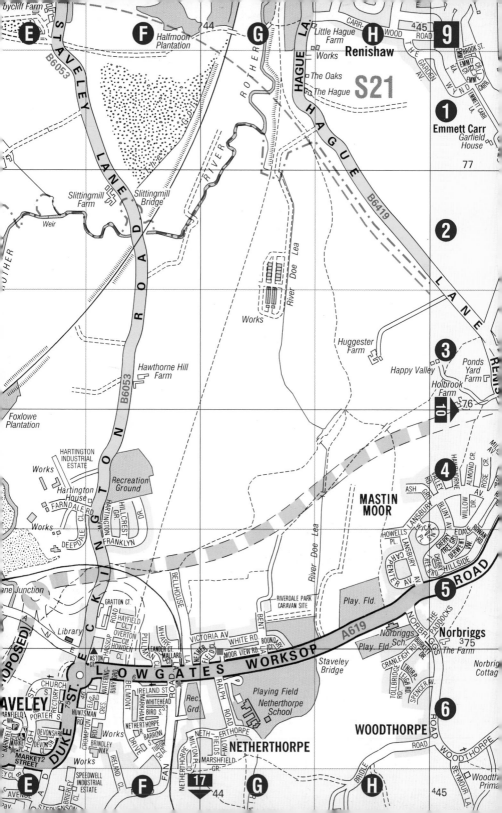

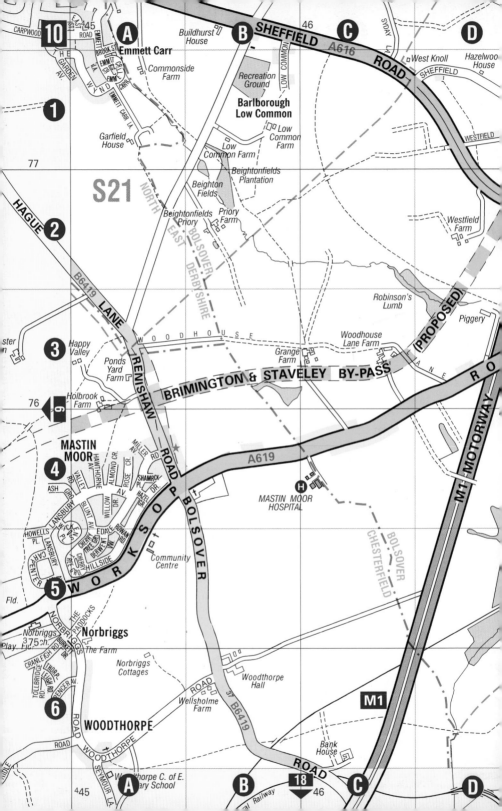

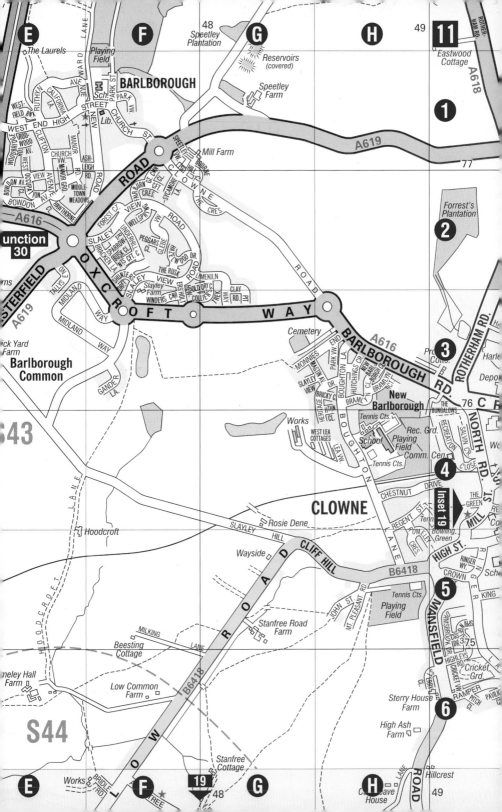

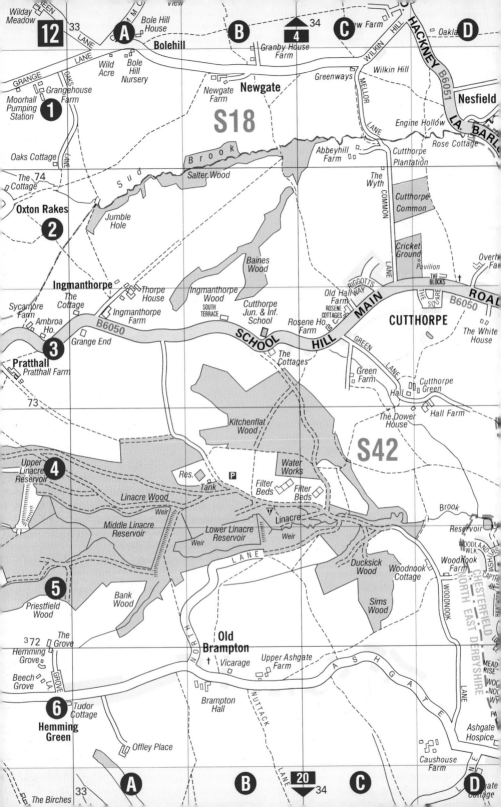

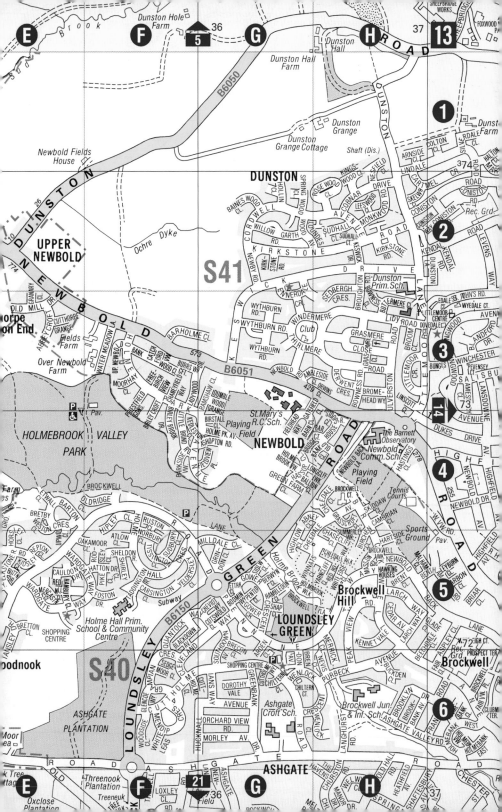

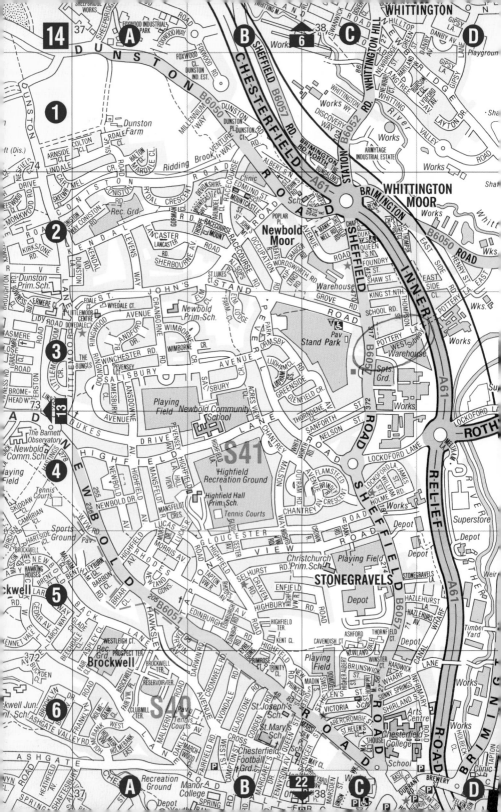

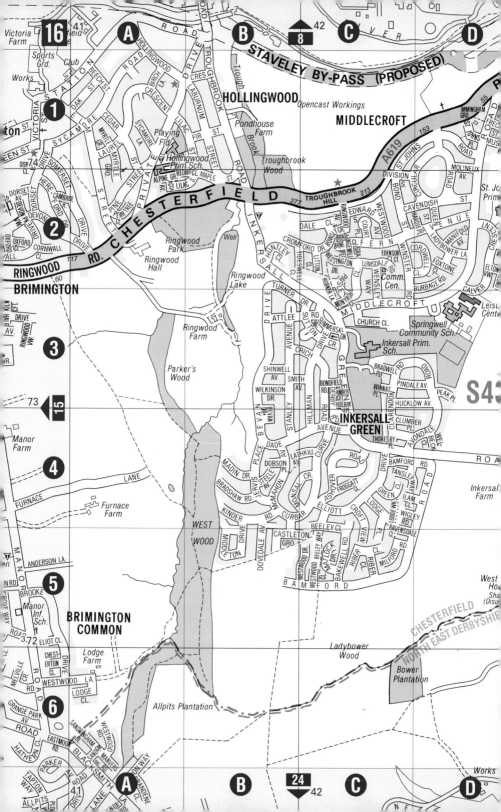

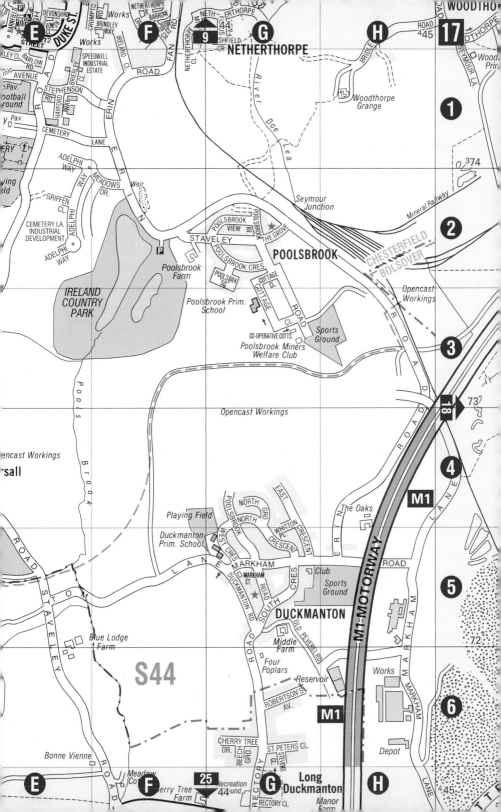

18

WOODTHORPE

A **B** BOLSOVER **10** 46 ink House **C** **D**

WOODTHORPE RD.
445
SEYMOUR LA.

Woodthorpe C. of E.
Primary School

S43

thorpe ge

1

Oxcroft
Junction

Mineral Railway

B6419 ROAD

WOODTHORPE

M1

CHESTERFIELD
BOLSOVER

74

MILL

2

Mineral Railway

M1 MOTORWAY

Lodge Farm

Opencast
Workings

BENTINCK RD.

B6419 ROAD

Shuttlewoo
Common

3

M1

Freestan

Woodside

S44

SHUTTLEWOOD

Rec.
Grd.

73

17

ROAD

Woodthorpe CL.

ADIN AV.
PRETORIA ST.

ROAD

BOLSOVER ROAD

PATTISON ST.
VIVIAN ST.

4

LANE

Rose Lea

Ellesmere Villas

The Nunnery

Wyandot
Farm

Nunnery
Farm

ROAD

5

Woodhouse
Farm

CHESTERFIELD

Bolsover
Woodhouse

372

MARKHAM

BOLSOVER CHESTERFIELD

Sewage
Works

The Bungalow

Offices

Works

Works

LANE

WOODHOUSE

Nether Farm

6

Depot

BUTTERMILK

B6418

Hall Farm

LANE

NETHER

A **B** **26** 46. **C** Bentinck
Villas **D**

Works

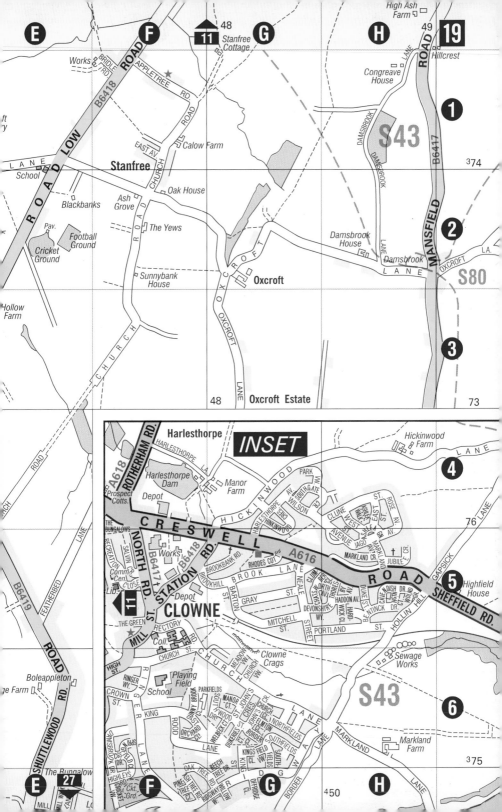

E **F** **G** **H**

48
11 Stanfree Cottage
49

High Ash Farm

Hillcrest

Works

BRIDLE RD.

B6418

ROAD

LOW

APPLETREE

EAST AV.

Calow Farm

Stanfree

CHURCH ROAD

Congreave House

DAMSBROOK

S43

MANSFIELD ROAD

B6417

1

374

LANE

School

Blackbanks

Ash Grove

Oak House

The Yews

Pav.

Cricket Ground

Football Ground

Sunnybank House

Hollow Farm

CHURCH

LANE

OXCROFT

Oxcroft

Damsbrook House

Damsbrook

LANE

OXCROFT

Damsbrook

LANE

OXCROFT L.A.

S80

2

3

Oxcroft Estate

48

73

INSET

Harlesthorpe

ROTHERHAM RD.

HARLESTHORPE LA.

Harlesthorpe Dam

Prospect Cotts.

Depot

Manor Farm

HICK IN WOOD

HARLESTHORPE

PARK

SOUTHGATE AV.

WILSON CR.

HINKINSON

Hickinwood Farm

LANE

4

76

A618

Road

THE BUNGALOWS

CRESWELL

NORTH RD.

B6417

STATION RD.

Works

RECREATION

SHAWN CLOSE

Comm. Cen.

Lib.

Depot

11

THE GREEN

CLOWNE

MILL ST.

Coll.

RECTORY RD.

ROAD

RD.

B6418

Brookbank Rd.

RHODES COT.

BROOKHILL

BROOK

BARTON ST.

GRAY ST.

MEADOW

Clowne Crags

ROAD

LANE

NEALE ST.

MITCHELL ST.

DEVONSHIRE WY.

PORTLAND ST.

HADDON AV.

WICK CL.

HARD.

SOUTHGATE AV.

CLUNE AVENUE

JAGO

WEST ST.

EAST ST.

ROSE AV.

ST.

MARKLAND CR.

JUBILE

ASH

HOLLIN HILL

BENTINCK

CAVENDISH DR.

DUKE ST.

GAPSICK

5 ROAD SHEFFIELD RD.

Highfield House

A616

CHURCH ST.

HIGH ST.

RINGER WY.

CROWN ST.

KING ST.

Playing Field

School

SWANY BROOK

PARKFIELDS

ORCHARD LANE

OAK TREE LANE

PINE TREE CT.

SPRUCE TREE DR.

MANOR CT.

ST. JOHN'S CL.

ST. JOHN'S CR.

LINTON ST.

BORDER

WELBECK CT.

DUKERIES CL.

KINGS FIELD CL.

BEECH TREE DR.

HORSEWAY LA.

CHURCH LANE

NORTHFIELDS

SOUTHFIELDS

SOUTH ST.

OFFRIDGE

BORDER LANE

MARKLAND

LANE

S43

Markland Farm

375

Sewage Works

6

E

27

F

G

H

450

B6419

FEATHERBED LANE

SHUTTLEWOOD RD.

Boleappleton Farm

The Bungalow

MILL WY.

CKT. GRD.

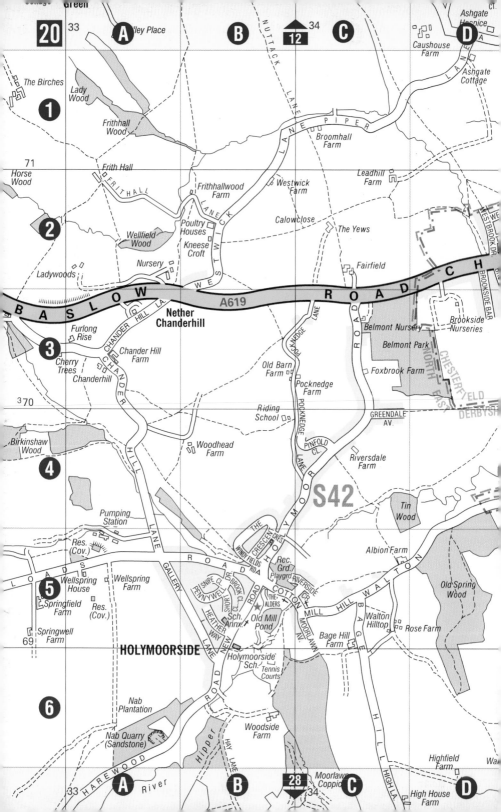

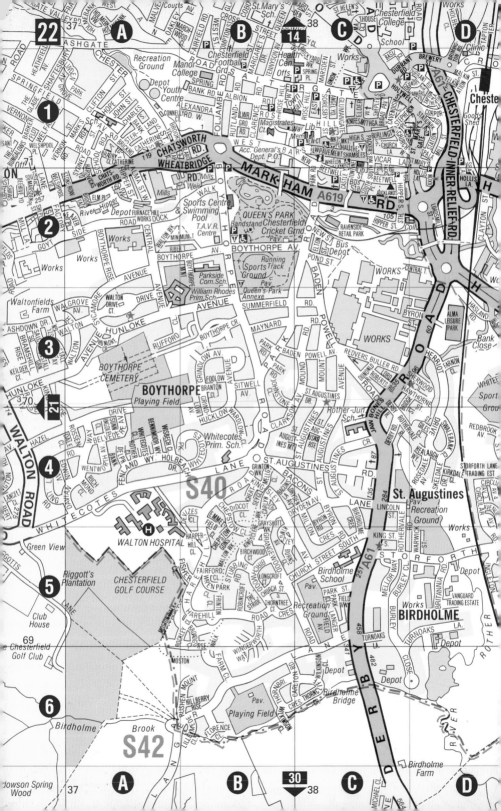

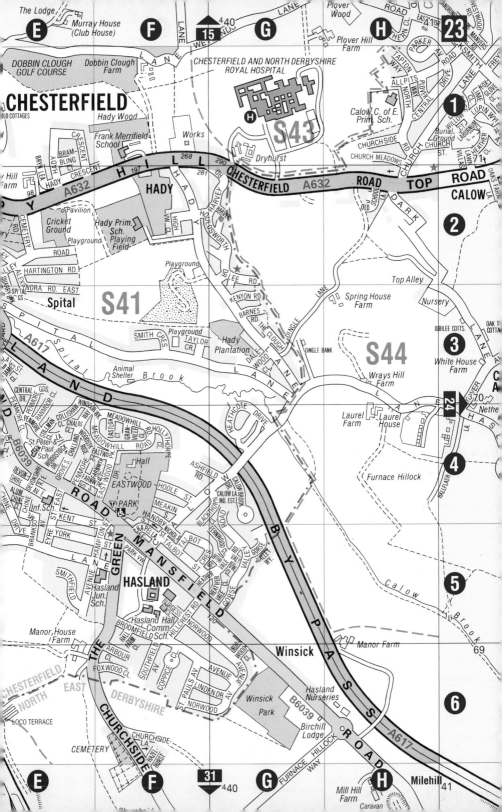

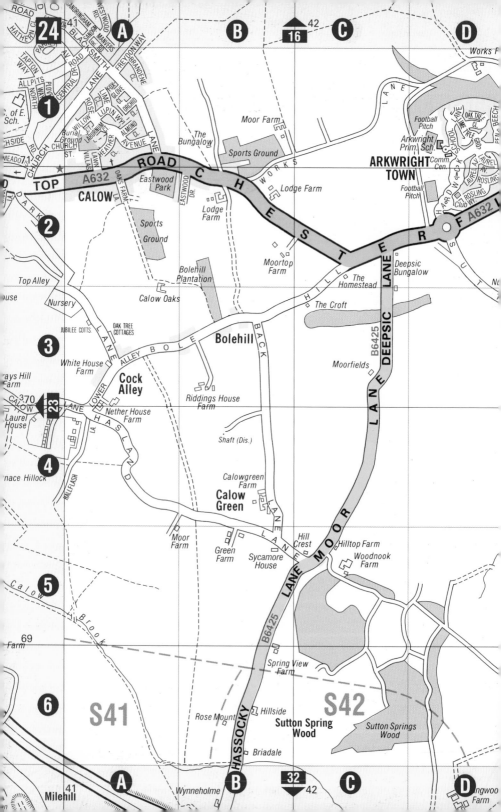

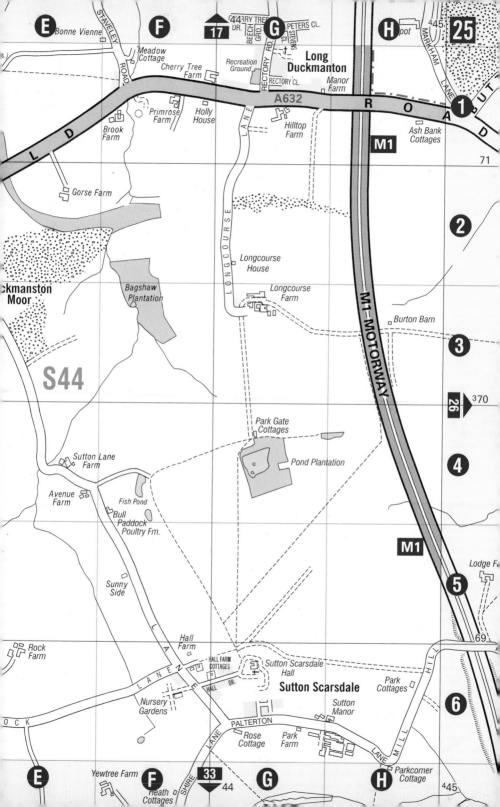

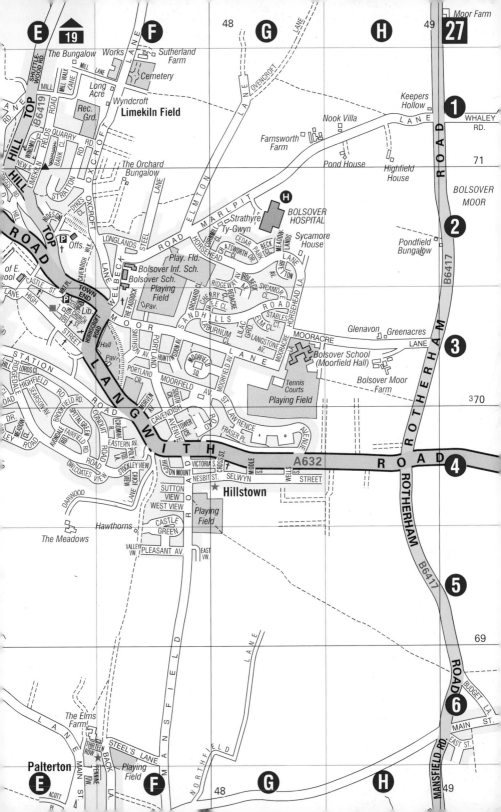

Moor Farm

The Bungalow Works
SHUTTLE-WOOD RD.
Sutherland Farm
Cemetery
MILL LANE
MILL WALK
MILL CANE
Long Acre
Wyndcroft
Limekiln Field
Rec. Grd.
NEWS LA.
B6419
TOP HILL
HILL
ROAD
QUARRY RD.
LIMEKILN FIELDS
WINDMILL
BANK CL.
STRATTON
The Orchard Bungalow
OXCROFT
DYKES
HIDES GM
TOP
ROAD

Keepers Hollow
WHALEY RD.
LANE
OVENCROFT
LANE
Nook Villa
Farnsworth Farm
Pond House
Highfield House
71

BOLSOVER MOOR

ELMTON
ROAD
MARLPIT LANE
HORSEHEAD LA.
Strathyre
Ty-Gwyn
BOLSOVER HOSPITAL
Sycamore House
CEDAR PARK
ATSWORTH CL.
BECK
MEADOW LANDS
H

Pondfield Bungalow

LONGLANDS
STEEL
HORSEHEAD
Play. Fld.
Bolsover Inf. Sch.
Bolsover Sch.
Playing Field
Pav.
SANDHILLS
ORCHARD CL.
CHERRY
REDACRE
BEE CL.
LABURNUM
LILAC GRO.
LANGSTONE AV.
RIDGEWAY
ELM CL.
STABLES CT.
SYCAMORE CL.
VB LANE
LB TON
ROAD
MOORACRE
Glenavon Greenacres
LANE
3
370

of E. ool
CASTLE ST.
HIGH
LANE
MILL PL.
CAVENDISH RD.
P Offs.
WELBECK
MOOR
TOWN END
Lib
Hall
Pav.
P CHURCH ST.
COTTON ST.
HORNSCROFT ROAD
PORTLAND AV.
HUNT.
CORONA AV.
MOORFIELD SQ.
MOORFIELD AV.
MOORFIELD LANE
ST. LAWRENCE
FRASER PL.
Bolsover School (Moorfield Hall)
Bolsover Moor Farm
AVENUE

LANGWITH ROAD

STATION RD.
LORDS CL.
RIDGEDALE CL.
HIGHFIELD
SEARSON AV.
BROOKFIELD RD.
SPITTAL GREEN
ANNDALE RD.
FAIRFIELD RD.
EASTERN AV.
STOCKLEY VIEW
CROWN
CONDUIT
DR.
MEADOW LEY ROAD
OWLCOATES LANE
PORTLAND CR.
MOORFIELD
SOUTH
NORTEN
CAVENDISH AVENUE
TOWER CR.
HUDSON MOUNT
VICTORIA S. ST.
CROSS ST.
MIDDLE
NESBITT ST.
SELWYN
WELLS ST.
A632 ROAD
ROTHERHAM ROAD 4
STREET
SUTTON VIEW
WEST VIEW
CASTLE GREEN
Hillstown ★
Playing Field
Hawthorns
The Meadows
VALLEY VW.
PLEASANT AV.
EAST VW.

ROTHERHAM
B6417
5

69

ROAD
BUDGET LA.
6
MAIN ST.
EAST ST.
MANSFIELD RD.

DARNWOOD LANE
MANSFIELD
LANE
NORTHFIELD
PENNINE
The Elms Farm
STEEL'S LANE
BACK VW.
THIRTEEN ROW ★
Playing Field

Palterton
ACOTT PL.
MAIN ST.

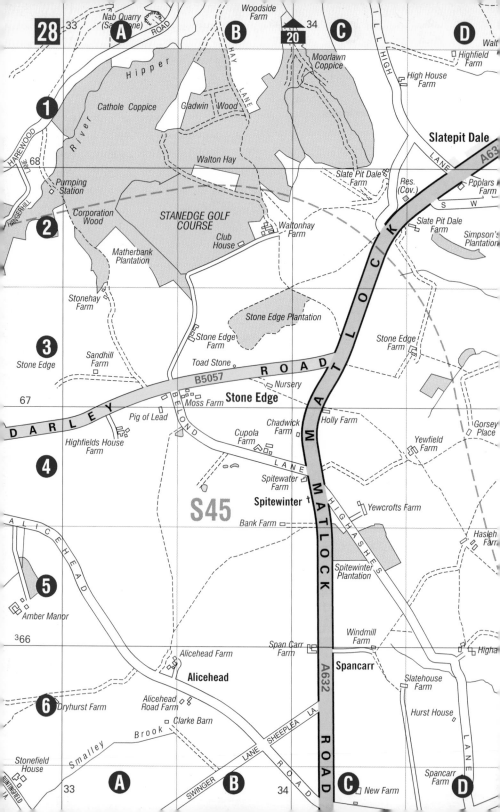

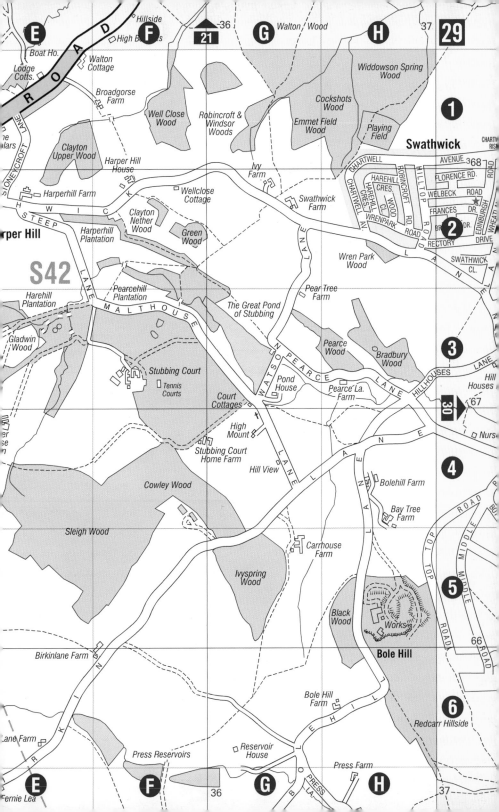

Hillside
High Bs

Boat Ho.

Walton Cottage

Lodge Cotts.

R O A D

Widdowson Spring Wood

Broadgorse Farm

Well Close Wood

Robincroft & Windsor Woods

Cockshots Wood

Emmet Field Wood

Playing Field

1

Swathwick

CHARTW RIS

Clayton Upper Wood

Harper Hill House

CHARTWELL AVENUE 368

ROBINCROFT WOOD

Ivy Farm

HILLTOP ROAD

HAREHILL CRES.

FLORENCE RD.

WELBECK ROAD

Harperhill Farm

Wellclose Cottage

Swathwick Farm

HAREHILL CRES. CL.

CHARTWELL AV.

WRENPARK

FRANCES DR.

EDINBURGH DR.

BROAD RD.

WHEAT

STEEP

HWIC

Clayton Nether Wood

Green Wood

RECTORY

2

SWATHWICK CL.

rper Hill

Harperhill Plantation

S42

Pearcehill Plantation

LANE

Wren Park Wood

Harehill Plantation

MALTHOUSE

Pear Tree Farm

The Great Pond of Stubbing

Pearce Wood

Bradbury Wood

HILLHOUSES

LANE

Hill Houses

Gladwin Wood

WATSON

3

PEARCE

Stubbing Court

Tennis Courts

Pond House

Pearce La. Farm

LANE

30 67

Court Cottages

High Mount

LANE

Nurs

Stubbing Court Home Farm

Hill View

Bolehill Farm

4

LANE

Bay Tree Farm

TOP ROAD

Cowley Wood

Carrhouse Farm

MIDDLE ROAD

Sleigh Wood

Ivyspring Wood

Black Wood

Works

5

TOP ROAD

66

Birkinlane Farm

KIN

BOLE HILL

Bole Hill

Redcarr Hillside

6

rnie Lea

RO

Lane Farm

Bole Hill Farm

Press Reservoirs

Reservoir House

PRESS LA.

Press Farm

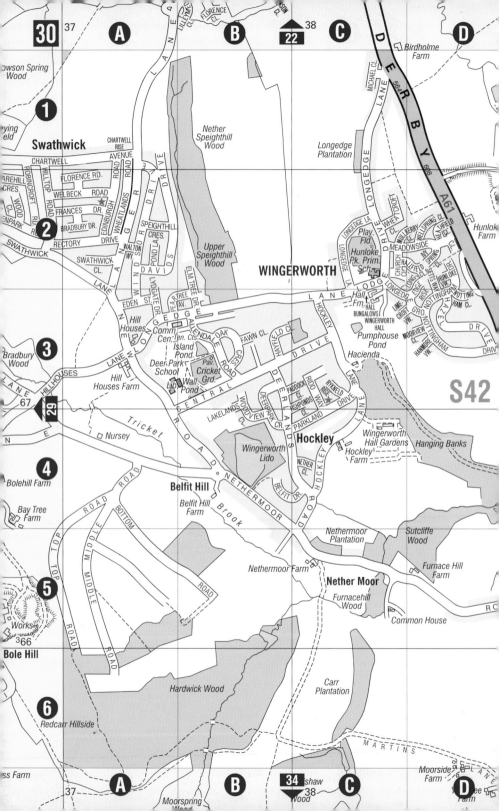

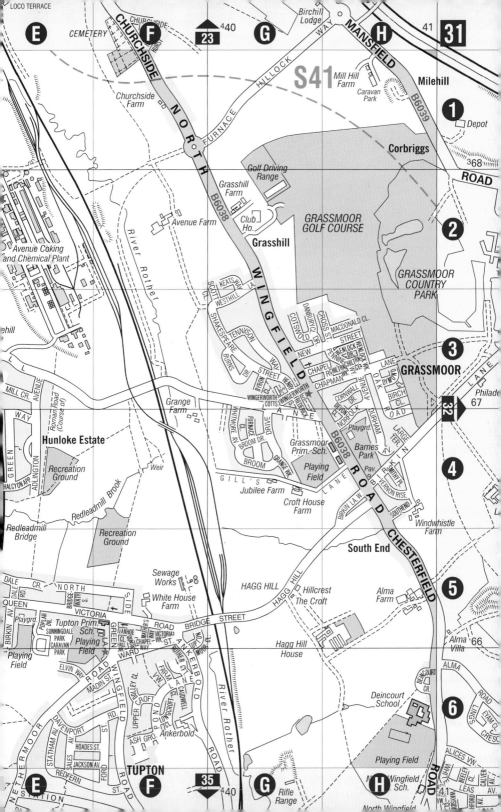

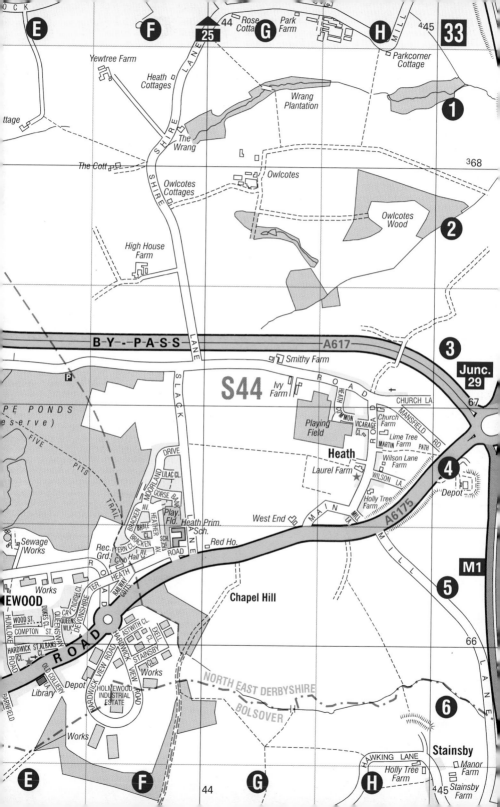

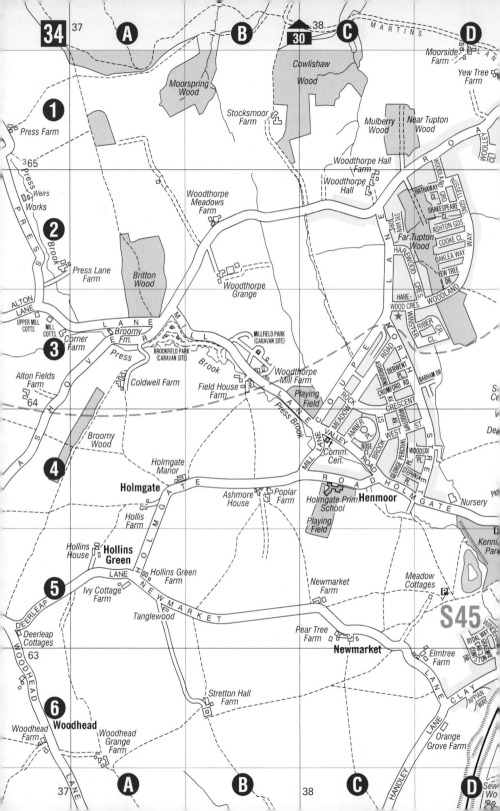

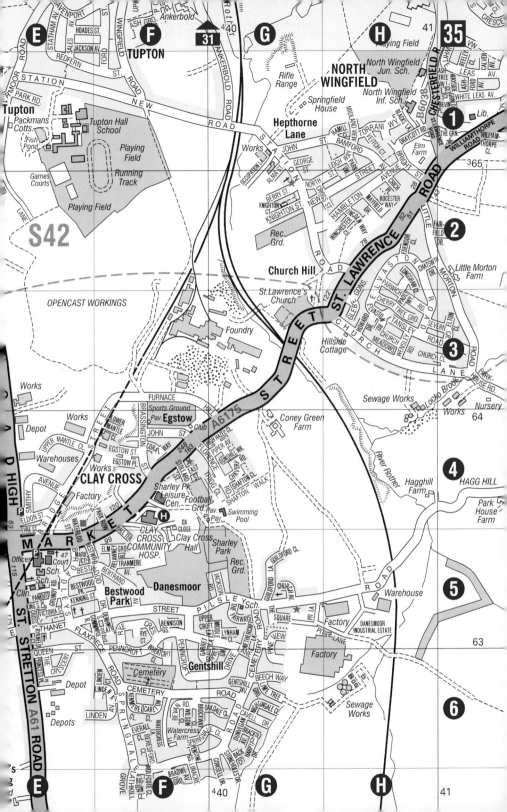

INDEX TO STREETS
Including Industrial Estates and a selection of Subsidiary Addresses.

HOW TO USE THIS INDEX

1. Each street name is followed by its Posttown or Postal Locality and then by its map reference; e.g. Abbey Cft. *Ches* —3E **13** is in the Chesterfield Posttown and is to be found in square 3E on page **13**. The page number being shown in bold type. A strict alphabetical order is followed in which Av., Rd., St., etc. (though abbreviated) are read in full and as part of the street name; e.g. Briardene Clo. appears after Briar Clo. but before Briar Vw.

2. Streets and a selection of Subsidiary names not shown on the Maps, appear in the index in *Italics* with the thoroughfare to which it is connected shown in brackets; e.g. *Batemoor Wlk. Shef* —1E **3** (off Batemoor Clo.)

GENERAL ABBREVIATIONS

All : Alley
App : Approach
Arc : Arcade
Av : Avenue
Bk : Back
Boulevd : Boulevard
Bri : Bridge
B'way : Broadway
Bldgs : Buildings
Bus : Business
Cvn : Caravan
Cen : Centre
Chu : Church
Chyd : Churchyard
Circ : Circle
Cir : Circus
Clo : Close
Comn : Common
Cotts : Cottages
Ct : Court

Cres : Crescent
Cft : Croft
Dri : Drive
E : East
VIII : Eighth
Embkmt : Embankment
Est : Estate
Fld : Field
V : Fifth
I : First
IV : Fourth
Gdns : Gardens
Gth : Garth
Ga : Gate
Gt : Great
Grn : Green
Gro : Grove
Ho : House
Ind : Industrial
Junct : Junction

La : Lane
Lit : Little
Lwr : Lower
Mc : Mac
Mnr : Manor
Mans : Mansions
Mkt : Market
Mdw : Meadow
M : Mews
Mt : Mount
N : North
Pal : Palace
Pde : Parade
Pk : Park
Pas : Passage
Pl : Place
Quad : Quadrant
Res : Residential
Ri : Rise
Rd : Road

St : Saint
II : Second
VII : Seventh
Shop : Shopping
VI : Sixth
S : South
Sq : Square
Sta : Station
St : Street
Ter : Terrace
III : Third
Trad : Trading
Up : Upper
Va : Vale
Vw : View
Vs : Villas
Wlk : Walk
W : West
Yd : Yard

POSTTOWN AND POSTAL LOCALITY ABBREVIATIONS

Alt : Alton
App : Apperknowle
Ark T : Arkwright Town
Ash : Ashgate
Asvr : Ashover
Blbgh : Barlborough
Barl : Barlow
Bar H : Barrow Hill
Bsvr : Bolsover
Brmp : Brampton
Brim : Brimington
Cal : Calow
Ches : Chesterfield
Clay C : Clay Cross

Clow : Clowne
Coal A : Coal Aston
Cut : Cutthorpe
Dane : Danesmoor
Dron : Dronfield
Dron W : Dronfield Woodhouse
Duck : Duckmanton
Gras : Grassmoor
Has : Hasland
Heath : Heath
Holl : Hollingwood
Holm : Holmesfield
Hlmwd : Holmewood
Holy : Holymoorside

Ink : Inkersall
Lwr P : Lower Pilsley
Mar L : Marsh Lane
Mas M : Mastin Moor
New T : New Tupton
New W : New Whittington
N Wing : North Wingfield
Old Br : Old Brampton
Old T : Old Tupton
Old W : Old Whittington
Pal : Palterton
Pool : Poolsbrook
Press : Press
Ren : Renishaw

Scar : Scarcliffe
Shef : Sheffield
Shut : Shuttlewood
Stanf : Stanfree
Stav : Staveley
Sut S : Sutton Scarsdale
Temp N : Temple Normanton
Uns : Unstone
Walt : Walton
Whit M : Whittington Moor
Wing : Wingerworth
Wdthrp : Woodthorpe

INDEX TO STREETS

Brickhouse Yd. *Ches* —1A **22**
Brickyard Wlk. *Ches* —1C **22**
Bricky Clo. *Clow* —3H **11**
Bri. Bank Clo. *Ches* —4H **13**
Bridge St. *Ches* —3C **22**
Bridge St. *Clay C* —4E **35**
Bridge St. *New T* —5F **31**
Bridgewater St. *New T* —5E **31**
Bridle Rd. *Mas M* —1H **17**
Bridle Rd. *Stanf* —1F **19**
Brierley Clo. *Stav* —1E **17**
Brierley Rd. *Uns* —2A **6**
Bright St. *N Wing* —1H **35**
Brimington Rd. *Ches* —6D **14**
Brimington Rd. N. *Ches*
 (in two parts) —1C **14**
Brincliffe Clo. *Ches* —3F **21**
Brindley Rd. *Ches* —4C **14**
Brindley Way. *Stav* —6F **9**
Britannia Rd. *Ches* —5D **22**
Broadgorse Clo. *Ches* —5B **22**
Broadleys. *Clay C* —5E **35**
Broadoak Clo. *Ches* —1E **23**
Broad Pavement. *Ches* —1C **22**
Brockhill Ct. *Brim* —2H **15**
Brocklehurst Piece. *Ches*
 —2H **21**
Brockley Av. *Shut* —4D **18**
Brockway Clo. *Dane* —6F **35**
Brockwell Ct. *Ches* —4H **13**
Brockwell La. *Ches* —4H **13**
Brockwell La. *Cut* —3D **12**
Brockwell Pl. *Ches* —6A **14**
Brockwell Ter. *Ches* —6A **14**
Brockwell Wlk. *Ches* —5H **13**
Bromehead Way. *Ches*
 —3H **13**
Brookbank Av. *Ches* —6H **13**
Brookbank Rd. *Clow* —5G **19**
Brook Clo. *Holy* —5B **20**
Brooke Dri. *Brim* —5H **15**
Brookfield Av. *Ches* —2E **21**
Brookfield Pk. (Cvn. Site).
 Old T —3A **34**
Brookfield Rd. *Bsvr* —4E **27**
Brookhill. *Clow* —5F **19**
Brook La. *Clow* —5G **19**
Brooklyn Dri. *Ches* —6H **13**
Brookside Bar. *Ches* —2D **20**
Brookside Glen. *Ches* —2D **20**
Brooks Rd. *Bar H* —4B **8**
Brook St. *Clay C* —4C **34**
Brook St. *Ren* —1A **10**
Brook Va. *Ches* —2A **22**
Brook Va. Clo. *Barl* —5B **4**
Brookview Ct. *Dron* —3E **3**
Brook Yd. *Ches* —1A **22**
Broombank Pk. *Ches* —5H **5**
Broombank Pk. Ind. Est. *Ches*
 —5H **5**
Broombank Rd. *Ches* —5G **5**
Broom Clo. *Ches* —3H **13**
Broom Dri. *Gras* —4G **31**
Broomfield Av. *Has* —5F **23**
Broom Gdns. *Brim* —3H **15**
Broomhill Rd. *Old W* —6B **6**
Broughton Rd. *Ches* —3H **13**
Brown La. *Coal A* —3G **3**
Brunswick St. *Ches* —6C **14**
Brushfield Rd. *Ches* —5D **12**
Bryn Lea. *Ches* —2E **23**

Buckden Clo. *Ches* —6H **13**
Buckingham Clo. *Dron W*
 —4B **2**
Budget La. *Scar* —6H **27**
Bungalows, The. *Brmp*
 —1H **21**
Bungalows, The. *Ches* —3A **14**
 (Littlemoor)
Bungalows, The. *Ches* —1D **22**
 (Piccadilly Rd.)
Bungalows, The. *Clow* —4F **19**
Bungalows, The. *Whit M*
 —2C **14**
Bunting Clo. *Walt* —3F **21**
Buntingfield La. *Asvr* —6A **28**
Burbage Clo. *Dron W* —4B **2**
Burbage Rd. *Stav* —3D **16**
Burgess Clo. *Has* —5F **23**
Burkett Dri. *Wdthrp* —5H **9**
Burley Clo. *Ches* —5C **22**
Burley Rd. *Ches* —6C **22**
Burlington St. *Ches* —1C **22**
Burnaston Clo. *Dron W* —5A **2**
Burnbridge Rd. *Old W* —5E **7**
Burnell St. *Brim* —2H **15**
Burns Clo. *Ches* —5B **22**
Burns Dri. *Dron* —6G **3**
Burns Dri. *Gras* —3G **31**
Burrs Wood Cft. *Ches* —3F **13**
Bursden Clo. *Old W* —1C **14**
Buttermere Clo. *Ches* —3H **13**
Buttermere Dri. *Dron W* —5C **2**
Buttermilk La. *Bsvr* —1A **26**
Butterton Dri. *Ches* —5E **13**
Byron Clo. *Dron* —1G **5**
Byron Gro. *Gras* —3G **31**
Byron Rd. *Ches* —4C **22**
Byron St. *Ches* —3D **22**

Caernarvon Clo. *Ches* —4G **21**
Caernarvon Rd. *Dron* —6F **3**
Cairn Dri. *New W* —4F **7**
Cairngorm Clo. *New W* —4F **7**
Caldey Rd. *Dron* —6E **3**
California La. *Blbgh* —1E **11**
Callywhite La. *Dron* —5F **3**
Calow Brook Dri. *Has* —4G **23**
Calow La. *Has & Cal* —4F **23**
Calow La. Ind. Est. *Has*
 —4G **23**
Calver Av. *N Wing* —6A **32**
Calver Cres. *Stav* —3D **16**
Cambrian Clo. *Ches* —4H **13**
Cambridge Rd. *Brim* —2H **15**
Camerory Way. *New W* —3F **7**
Campbell Dri. *Bar H* —5A **8**
Canal Wharf. *Ches* —6D **14**
Cannell Clo. *Clay C* —4D **34**
Capel Ri. *Brim* —2F **15**
Capthorne Clo. *Ches* —5D **12**
Carlisle Clo. *Ches* —5A **6**
Carlton Clo. *Dane* —6F **35**
Carlton Rd. *Ches* —6B **22**
Carlyon Gdns. *Ches* —4B **22**
Carnoustie Av. *Ches* —4G **21**
Carpenter Av. *Mas M* —5H **9**
Carr La. *Dron W* —4A **2**
Carr La. *Pal* —5C **26**
Carr Va. Rd. *Bsvr* —3D **26**
Carrwood Rd. *Ches* —5F **5**

Carrwood Rd. *Ren* —1H **9**
Carsington Clo. *Ches* —5F **13**
Cartmel Clo. *Dron W* —5C **2**
Cartmel Cres. *Ches* —2H **13**
Castle Grn. *Bsvr* —4F **27**
Castle La. *Bsvr* —3D **26**
Castlerigg Way. *Dron W* —5C **2**
Castle St. *Bsvr* —2E **27**
Castleton Gro. *Ink* —5B **16**
Castle Yd. *Ches* —2C **22**
Catchford Vw. *Ches* —3F **13**
Catherine Ct. *Ches* —1A **22**
Catherine St. *Ches* —1A **22**
Caudwell Clo. *New T* —6F **31**
Cauldon Dri. *Ches* —5E **13**
Cavell Dri. *Dane* —6G **35**
Cavendish Clo. *Hlmwd* —5E **33**
Cavendish Ct. *Ches* —5C **14**
Cavendish Dri. *Clow* —5H **19**
 (in two parts)
Cavendish Pl. *Bar H* —5B **8**
Cavendish Ri. *Dron* —6D **2**
Cavendish Rd. *Bsvr* —4F **27**
Cavendish Sq. *Mar L* —1F **7**
Cavendish St. *Ches* —1C **22**
Cavendish St. *Stav* —2C **16**
Cavendish St. N. *Old W* —6C **6**
Cavendish Ter. *Mar L* —1F **7**
Cavendish Wlk. *Bsvr* —2E **27**
Caxton Clo. *New W* —6F **7**
Cecil Av. *Dron* —4E **3**
Cecil Rd. *Dron* —3E **3**
Cedar Av. *Ches* —5H **13**
Cedar Pk. Dri. *Bsvr* —2G **27**
Cedar St. *Holl* —1A **16**
Cemetery La. *Stav* —1E **17**
Cemetery La. Ind.
 Development. *Stav* —2E **17**
Cemetery Rd. *Ches* —2E **23**
Cemetery Rd. *Dane* —6F **35**
Cemetery Rd. *Dron* —6F **3**
Cemetery Ter. *Brim* —3G **15**
Central Av. *Ches* —2A **22**
Central Clo. *Uns* —2A **6**
Central Dri. *Cal* —1H **23**
Central Dri. *Has* —3E **23**
Central Dri. *Wing* —4B **30**
Central Pavement. *Ches*
 (off Market Pl.) —1C **22**
Central St. *Ches* —3E **23**
Central Ter. *Ches* —2D **22**
Central Wlk. *Brim* —3F **15**
Chaddesden Clo. *Dron W*
 —5A **2**
Challands Clo. *Has* —4E **23**
Challand Way. *Ches* —4E **23**
Chander Hill La. *Holy* —3A **20**
Chaneyfield Way. *Ches* —3F **13**
Chantree Clo. *N Wing* —3H **35**
Chantrey Av. *Ches* —4B **14**
Chapel La. E. *Has* —5F **23**
Chapel La. W. *Ches* —2G **21**
Chapel Rd. *Bsvr* —3D **26**
Chapel Rd. *Gras* —3G **31**
Chapel St. *Brim* —2H **15**
Chapel St. *Ches* —2C **14**
 (in two parts)
Chapel Way. *New T* —5F **31**
Chapel Yd. *Dron* —4E **3**
Chapman La. *Gras* —3H **31**

Charles St. *Ches* —1A **22**
Charlesworth Gdns. Bsvr
 —4C **2**
 (off Charlesworth St.)
Charlesworth St. *Bsvr* —4C **2**
Chartwell Av. *Wing* —1H **29**
Chartwell Ri. *Wing* —1A **30**
Chasecliff Clo. *Ches* —5H **13**
Chatsworth Av. *Ches* —2F **21**
Chatsworth Av. *Clow* —5G **19**
Chatsworth Clo. *Bsvr* —2G **27**
Chatsworth Ct. *Stav* —2D **16**
Chatsworth Dri. *N Wing*
 —2H **3**
Chatsworth Pl. *Dron W* —4B
Chatsworth Rd. *Ches* —2D **20**
Chaucer Dri. *Dron* —1G **5**
Chaucer Rd. *Ches* —2B **14**
Chavery Rd. *Clay C* —4G **35**
Cheedale Av. *Ches* —5G **13**
Cheedale Clo. *Ches* —4H **13**
Cheedale Wlk. *Ches* —5H **13**
Cheetham Av. *Uns* —3A **6**
Chelmsford Way. *Bar H* —4B
Chepstow Clo. *Ches* —4B **22**
Chepstow Gdns. *Ches* —5B **2**
Cherry Tree Clo. *Bsvr* —3F **27**
Cherry Tree Dri. *Duck* —6G **1**
Cherry Tree Gro. *Mas M*
 —5A **1**
Cherry Tree Gro. *N Wing*
 —3H **3**
Chertsey Clo. *Ches* —4B **22**
Cherwell Clo. *Brim* —1G **15**
Chesterfield Av. *New W* —5G
Chesterfield Inner Relief Rd.
 Ches —6A
Chesterfield Rd. *Ark T* —2B **2**
Chesterfield Rd. *Blbgh* —3E **1**
Chesterfield Rd. *Bsvr* —5C **18**
Chesterfield Rd. *Brim* —3F **15**
Chesterfield Rd. *Cal* —2G **23**
Chesterfield Rd. *Dron* —5E **3**
Chesterfield Rd. *N Wing*
 —5H **3**
Chesterfield Rd. *Stav* —2A **16**
Chesterfield Rd. *Temp N*
 —3C **3**
Chesterfield Rd. S. *Shef* —1E
Chesterfield Trad. Est. *Ches*
 —5G
Chester St. *Ches* —1A **22**
Chesterton Clo. *Brim* —6H **15**
Chestnut Clo. *Dron* —6G **3**
Chestnut Dri. *Clow* —4H **11**
Cheviot Way. *Ches* —5G **13**
Chigwell Way. *Bar H* —5B **8**
Chiltern Clo. *Ches* —6G **13**
Chiltern Clo. *Gras* —3H **31**
Chiltern Ct. *Ches* —6G **13**
Chiltern Wlk. *Gras* —3H **31**
Chiverton Clo. *Dron* —4E **3**
Church Av. *Dane* —5G **35**
Church Clo. *Clow* —6G **19**
Church Clo. *Ink* —3C **16**
Church Clo. *N Wing* —3H **35**
Church Clo. *Wing* —2C **30**
Churchland Av. *Hlmwd*
 —6D **3**
Church La. *Cal* —1H **23**
Church La. *Ches* —1C **22**

osforth Clo. *Dron* —5D **2**
osforth Cres. *Dron* —5D **2**
osforth Dri. *Dron W* —5B **2**
osforth Grn. *Dron* —5D **2**
osforth La. *Dron* —5D **2**
ower Cres. *Ches* —5G **13**
oyt Side Rd. *Ches* —2H **21**
rampian Cres. *Ches* —6F **13**
ranary Clo. *Ches* —3E **13**
range Av. *Dron W* —5C **2**
range La. *Barl* —1A **12**
rangemill Pl. *Stav* —2C **16**
range Pk. Av. *Brim* —6H **15**
range, The. *Ash* —6D **12**
range Wlk. *Gras* —4G **31**
rangewood Rd. *Ches* —5B **22**
ransden Way. *Ches* —4G **21**
ranville Clo. *Has* —4F **23**
rasmere Av. *Clay C* —5D **34**
rasmere Clo. *Ches* —3H **13**
rasmere Rd. *Dron W* —5B **2**
rasscroft Cvn. Site. *New W*
—3E **7**
rasscroft Clo. *Ches* —4H **13**
ratton Ct. *Stav* —5F **9**
rayshott Wlk. *Ches* —4B **22**
ray St. *Clow* —5G **19**
t. Common Clo. *Blbgh*
—2F **11**
t. Croft. *Dron W* —4B **2**
reenacres Clo. *Dron* —1G **5**
reenaway Dri. *Bsvr* —4D **26**
reenbank Dri. *Ches* —6G **13**
reen Clo. *Ink* —4C **16**
reen Clo. *Uns* —2A **6**
reen Cross. *Dron* —4F **3**
reendale Av. *Holy* —4C **20**
reendale Ct. *Dron* —4F **3**
reendale Shop. Cen. *Dron*
—4F **3**
reen Farm Clo. *Ches* —4G **13**
reengate Clo. *Ches* —2G **21**
reen Glen. *Ches* —2G **21**
reenhill Parkway. *Shef* —1B **2**
reenland Clo. *N Wing* —1H **35**
reen La. *Ches* —6F **15**
reen La. *Cut* —3C **12**
reen La. *Dron* —5F **3**
reen La. *New T* —5F **31**
reen Lea. *Dron W* —4A **2**
reenside Av. *Ches* —3B **14**
reen St. *Old W* —6C **6**
reen, The. *Clow* —5F **19**
reen, The. *Has* —5F **23**
reen, The. *N Wing* —1H **35**
reen Way. *Wing* —4E **31**
reenways. *Ches* —4G **21**
regory Clo. *Brim* —2F **15**
regory La. *Brim* —1F **15**
resley Rd. *Shef* —1C **2**
resley Wlk. *Shef* —1C **2**
riffen Clo. *Stav* —2E **17**
rindlow Av. *Ches* —3B **22**
rindon Clo. *Ches* —5G **13**
rinton Wlk. *Ches* —4B **22**
risedale Wlk. *Dron W* —5C **2**
rove Farm Clo. *Brim* —3G **15**
rove La. *Old Br* —6A **12**
rove Rd. *Brim* —5G **15**
rove Rd. *Ches* —3C **14**

Grove St. *Has* —4E **23**
Grove, The. *Pool* —2G **17**
Grove Way. *Brim* —5H **15**
Grundy Rd. *Clay C* —5E **35**
Guildford Av. *Ches* —4H **21**
Guildford Clo. *Dane* —5G **35**
Guildford La. *Dane* —5G **35**

Hackney La. *Barl* —6D **4**
Haddon Av. *Clow* —5H **19**
Haddon Clo. *Ches* —2G **21**
Haddon Clo. *Dron* —4F **3**
Haddon Pl. *Stav* —2D **16**
Haddon Rd. *N Wing* —6A **32**
Hady Cres. *Ches* —2E **23**
Hady Hill. *Ches* —2D **22**
Hady La. *Ches* —2F **23**
Hagg Hill. *New T* —5G **31**
Hague La. *Ren* —1G **9**
Halcyon App. *Wing* —4E **31**
Haldane Cres. *Bsvr* —2D **26**
Halesworth Clo. *Ches* —4F **21**
Halfacre La. *Uns* —6H **3**
Half Cft. *Brim* —3H **15**
Hallam Ct. *Dron* —6E **3**
Hall Bungalows. *Wing* —3C **30**
Hall Clo. *Dron W* —4A **2**
Hall Dri. *Sut S* —6G **25**
Hall Farm Clo. *Has* —5F **23**
Hall Farm Cotts. *Sut S* —6G **25**
Hallfield Clo. *Wing* —2D **30**
Hallflash Clo. *Cal* —4A **24**
Hall La. *Stav* —4C **8**
Hallowes Ct. *Dron* —5F **3**
Hallowes Dri. *Dron* —5F **3**
Hallowes La. *Dron* —5F **3**
Hallowes Ri. *Dron* —6G **3**
Hall Rd. *Brim* —3G **15**
Hall Ter. *Clay C* —5F **35**
Hall Vw. *Ches* —4A **14**
Hall Wlk. *New T* —5F **31**
Halton Clo. *Ches* —1A **14**
Hambledon Clo. *Ches* —5G **13**
Hambleton Av. *N Wing*
—2H **35**
Hamill Clo. *N Wing* —1H **35**
Hampton St. *Ches* —5F **23**
Hanbury Clo. *Ches* —5E **13**
Hanbury Clo. *Dron* —5D **2**
Handby St. *Has* —4F **23**
Handley Ct. *New W* —3F **7**
Handley La. *Clay C* —6C **34**
Handley Rd. *Neth Ha* —2F **7**
Handley Rd. *New W* —4F **7**
Hangerhill La. *Holy* —2A **28**
Hardhurst Rd. *Uns* —3A **6**
Hardie Pl. *Stav* —2D **16**
Hardwick Av. *New W* —5F **7**
Hardwick Clo. *Clow* —5H **19**
Hardwick Clo. *Dron* —4F **3**
Hardwick Dri. *Ark T* —2D **24**
Hardwick St. *Ches* —6C **14**
Hardwicks Yd. *Ches* —2A **22**
Hardwick Vw. Rd. *Hlmwd*
—5F **33**
Harehill Cres. *Wing* —2H **29**
Harehill Rd. *Ches* —5B **22**
Harewood Cres. *Old T* —2C **34**
Harewood Rd. *Holy* —1A **28**

Harlesthorpe Av. *Clow* —4G **19**
Harlesthorpe La. *Clow* —4F **19**
Harperhill Clo. *Ches* —5B **22**
Harport Dri. *Dane* —6G **35**
Hartfield Clo. *Has* —5D **22**
Hartington Ct. *Clow* —5H **19**
Hartington Ct. *Dron* —4F **3**
Hartington Ind. Est. *Stav*
—4E **9**
Hartington Rd. *Ches* —2E **23**
Hartington Rd. *Dron* —4F **3**
Hartington Vw. *Stav* —4F **9**
Hartland Way. *Old W* —1C **14**
Hartside Clo. *Ches* —5H **13**
Harvest Way. *Ash* —5D **12**
Harvey Ct. *Bsvr* —2D **26**
Harvey Rd. *Ches* —2G **23**
Haslam Ct. *Bsvr* —2D **26**
Haslam Cres. *Shef* —1B **2**
Hasland By-Pass. *Ches*
—3D **22**
Hasland La. *Cal* —4A **24**
Hasland Rd. *Ches* —3D **22**
(in two parts)
Hassocky La. *Temp N & Sut S*
—1B **32**
Hassop Clo. *Ches* —4G **13**
Hassop Clo. *Dron* —4G **3**
Hassop Rd. *Stav* —6E **9**
Hastings Clo. *Ches* —4H **13**
Hathaway Clo. *Old T* —2D **34**
Hathern Clo. *Brim* —6H **15**
Hatton Clo. *Dron W* —6B **2**
Hatton Dri. *Ches* —5F **13**
Havens, The. *Ches* —1H **21**
Hawking Houses. *Ches*
—5H **13**
Hawking La. *Heath* —6H **33**
Hawkshead Av. *Dron W* —5B **2**
Hawksley Av. *Ches* —5A **14**
Hawthorn Clo. *Clow* —3H **11**
Hawthorne Av. *Dron* —3E **3**
Hawthorne Av. *Mas M* —4A **10**
Hawthorne Clo. *Blbgh* —2E **11**
Hawthorne St. *Ches* —3D **22**
Hawthorn Way. *Ash* —5D **12**
Hayfield Clo. *Dron W* —5B **2**
Hayfield Clo. *Stav* —5F **9**
Hayfield Clo. *Wing* —3B **30**
Hayford Way. *Stav* —1E **17**
Hay La. *Holy* —6B **20**
Hazel Clo. *Dron* —6G **3**
Hazel Ct. *Dron* —6F **3**
Hazel Dri. *Ches* —4H **21**
Hazel Dri. *Wing* —3D **30**
Hazel Gro. *Mas M* —4A **10**
Hazelhurst. *Has* —6F **23**
Hazelwood Clo. *Dron W* —5A **2**
Hazelwood Dri. *Blbgh* —2F **11**
Hazlehurst Av. *Ches* —5D **14**
Hazlehurst La. *Ches* —5C **14**
Headland Clo. *Brim* —3G **15**
Headland Rd. *Brim* —3G **15**
Healaugh Way. *Ches* —4D **22**
Heath Comn. *Heath* —3H **33**
Heathcote Dri. *Has* —4G **23**
Heather Av. *Heath* —4F **33**
Heather Clo. *Cal* —1A **24**
Heather Gdns. *Has* —5G **23**
Heather Va. Clo. *Has* —5G **23**
Heather Va. Rd. *Has* —5F **23**

Heather Way. *Holy* —5B **20**
Heathfield Av. *Ches* —1H **21**
Heathfield Clo. *Dron* —6D **2**
Heathfield Clo. *Dron* —6D **2**
Heath Rd. *Hlmwd & Heath*
(in two parts) —6D **32**
Heaton Clo. *Dron W* —5B **2**
Heaton St. *Ches* —2G **21**
Hedley Dri. *Brim* —2E **15**
Helston Clo. *Has* —4D **22**
Henry St. *Ches* —2D **14**
Henry St. *Gras* —3G **31**
Hereford Dri. *Brim* —2H **15**
Heritage Dri. *Clow* —4H **11**
Herriot Dri. *Ches* —3D **22**
Hewers Holt. *Blbgh* —2F **11**
Heywood St. *Brim* —2G **15**
Hickingwood La. *Clow* —4G **19**
Hickinwood Cres. *Clow*
—4G **19**
Hides Grn. *Bsvr* —2E **27**
Highashes La. *Asvr* —4C **28**
Highbury Rd. *Ches* —5B **14**
Higher Albert St. *Ches* —6C **14**
Highfield Av. *Ches* —5A **14**
Highfield La. *Ches* —4A **14**
Highfield Rd. *Bsvr* —3E **27**
Highfield Rd. *Ches* —5B **14**
Highfields Cres. *Dron* —6E **3**
Highfields Dri. *Hlmwd* —6D **32**
Highfields Rd. *Dron* —6E **3**
Highfields Way. *Hlmwd*
—6D **32**
Highfield Ter. *Ches* —5B **14**
Highfield Vw. Rd. *Ches*
(in two parts) —5B **14**
Highgate Clo. *New W* —5F **7**
Highgate Dri. *Dron* —1G **5**
Highgate La. *Dron* —1F **5**
High Hazel Clo. *Clay C* —4G **35**
High Hazel Wlk. Clay C —4G 35
(off High Hazel Clo.)
Highland Rd. *New W* —3F **7**
High La. *Walt* —1C **28**
Highleys Rd. *Clow* —6F **19**
Highlightly La. *Barl* —3A **4**
Highlow Clo. *Ches* —5G **13**
High St. Barlborough, *Blbgh*
—1E **11**
High St. Bolsover, *Bsvr*
—3E **27**
High St. Brimington, *Brim*
—2H **15**
High St. Chesterfield, *Ches*
—1C **22**
High St. Clay Cross, *Clay C*
—4E **35**
High St. Clowne, *Clow* —6F **19**
High St. Dronfield, *Dron* —5E **3**
High St. New Whittington,
New W —5E **7**
High St. Old Whittington,
Old W —6C **6**
High St. Staveley, *Stav* —6E **9**
High Vw. Clo. *Ches* —2F **23**
Hillberry Ri. *Ches* —6B **22**
Hillcrest Gro. *Stav* —4F **9**
Hillcrest Rd. *Has* —5F **23**
Hill Gro. *Bar H* —4B **8**
Hillhouses La. *Wing* —3H **29**
Hillman Dri. *Ink* —4C **16**

Hillside Av. *Dron* —6E **3**
Hillside Dri. *Ches* —3H **21**
Hillside Dri. *Mas M* —5A **10**
Hill St. *Clay C* —5E **35**
Hill Top. *Bsvr* —1E **27**
Hilltop Rd. *Dron* —6E **3**
Hilltop Rd. *Old W* —6C **6**
Hilltop Rd. *Wing* —2H **29**
Hilltop Way. *Dron* —1F **5**
Hill Vw. Rd. *Brim* —2G **15**
Hipley Clo. *Ches* —5F **13**
Hipper St. *Ches* —2C **22**
Hipper St. S. *Ches* —2C **22**
Hipper St. W. *Ches* —2A **22**
Hoades St. *New T* —6E **31**
Hobner La. *Ink* —2C **16**
Hockley La. *Wing* —3C **30**
Hogarth Ri. *Dron* —6D **2**
Holbeach Dri. *Ches* —4A **22**
Holbeck Av. *Bsvr* —2G **27**
Holbeck Clo. *Ches* —6D **14**
Holbein Clo. *Dron* —6D **2**
Holborn Av. *Dron* —4E **3**
Holbrook Clo. *Ches* —4G **21**
Holbrook Pl. *Ink* —3C **16**
Holland Rd. *Old W* —6B **6**
Hollens Way. *Ches* —5D **12**
Hollies Clo. *Dron* —6G **3**
Hollin Clo. *Ches* —2G **13**
Hollingwood Cres. *Holl* —6A **8**
Hollin Hill. *Clow* —5H **19**
Hollins Spring Av. *Dron* —6E **3**
Hollins Spring Rd. *Dron* —6E **3**
Hollis La. *Ches* —2D **22**
(in two parts)
Holly Clo. *Ches* —6C **6**
Hollythorpe Clo. *Has* —4F **23**
Holmbrook Wlk. *Ches* —5G **13**
Holm Clo. *Dron W* —4B **2**
Holmebank Clo. *Ches* —6A **14**
Holmebank E. *Ches* —6A **14**
Holmebank Vw. *Ches* —6A **14**
Holmebank W. *Ches* —6A **14**
Holme Brook Vw. *Ches*
—4G **13**
Holme Hall Cres. *Ches* —4F **13**
Holme Pk. Av. *Ches* —3F **13**
Holme Rd. *Ches* —4C **14**
Holmesdale Clo. *Dron* —3G **3**
Holmesdale Rd. *Dron* —3F **3**
Holmesfield Rd. *Dron W*
—5A **2**
Holmewood Ind. Est. *Hlmwd*
—6F **33**
Holmewood Ind. Pk. *Hlmwd*
—4D **32**
Holmgate Rd. *Clay C* —5A **34**
Holmley Bank. *Dron* —3E **3**
Holmley La. *Dron* —3E **3**
Holymoor Rd. *Holy* —5B **20**
Holywell St. *Ches* —1C **22**
Homeport M. *Ches* —6C **14**
Hoodcroft La. *Clow* —5E **11**
Hoole St. *Has* —4F **23**
Hope St. *Ches* —1A **22**
Hornscroft Rd. *Bsvr* —3E **27**
Horsehead La. *Bsvr* —2F **27**
Horsewood Rd. *Walt* —4F **3**
Horsley Clo. *Ches* —5E **13**
Houfton Cres. *Bsvr* —1D **26**
Houfton Rd. *Bsvr* —1D **26**

Houldsworth Cres. *Bsvr*
—1D **26**
Houldsworth Dri. *Ches* —2F **23**
Howard Dri. *N Wing* —3H **35**
Howard Dri. *Old W* —6C **6**
Howden Clo. *Stav* —5F **9**
Howells Pl. *Mas M* —5H **9**
Hoylake Av. *Ches* —5G **21**
Hucklow Av. *Ches* —4B **22**
Hucklow Av. *Ink* —3C **16**
Hucklow Av. *N Wing* —6A **32**
Hucknall Av. *Ches* —6G **13**
Hudson Mt. *Bsvr* —4F **27**
Hundall La. *App* —1B **6**
Hundall La. *Ches* —4C **6**
Hunloke Av. *Ches* —3H **21**
Hunloke Cres. *Ches* —3A **22**
Hunloke Rd. *Hlmwd* —5E **33**
Hunloke Vw. *Wing* —2D **30**
Huntingdon Av. *Bsvr* —3F **27**
Huntley Clo. *Ink* —2B **16**
Huntsman Rd. *Stav* —6E **9**
Hutchings Cres. *Clow* —3H **11**
Hyndley Rd. *Bsvr* —2D **26**

Ians Way. *Ches* —6G **13**
Ilam Clo. *Ink* —4C **16**
Immingham Gro. *Stav* —1D **16**
Infirmary Rd. *Ches* —6D **14**
Ingleby Clo. *Dron W* —5A **2**
Ingleton Rd. *Has* —5D **22**
Inkersall Grn. Rd. *Ink* —2B **16**
Inkersall Rd. *Stav* —3E **17**
Ireland Clo. *Stav* —6F **9**
Ireland St. *Stav* —6F **9**
Iron Cliff Rd. *Bsvr* —1D **26**
Irongate. Ches —1C **22**
(off High St. Chesterfield,)
Ivanbrook Clo. *Dron W* —5A **2**
Ivanhoe Clo. *New T* —5F **31**
Ivy Clo. *Old W* —6C **6**
Ivy Spring Clo. *Wing* —2D **30**

Jackson Av. *New T* —6E **31**
Jackson Rd. *Dane* —5G **35**
Jago Av. *Clow* —5H **19**
James St. *Ches* —4C **14**
Jaw Bones Hill. *Ches* —4C **22**
Jebb Gdns. *Ches* —2G **21**
Jervis Pl. *Ink* —4B **16**
Johnstone Clo. *Ches* —3B **22**
John St. *Brim* —2G **15**
John St. *Ches* —1A **22**
John St. *Clay C* —4F **35**
John St. *Clow* —5H **11**
John St. *N Wing* —1G **35**
Jordanthorpe Parkway. *Shef*
—1E **3**
Jubilee Cotts. *Cal* —3A **24**
Jubilee Cres. *Clow* —5H **19**

Keats Rd. *Ches* —2B **14**
Keatsway. *Gras* —2G **31**
Kedleston Clo. *Ches* —4F **13**
Keepers La. *Barl* —5C **4**
Keilder Ct. *Ches* —3H **21**
Kelburn Av. *Ches* —3G **21**
Kendal Dri. *Dron W* —5C **2**

Kendal Rd. *Ches* —2A **14**
Kenmere Clo. *Dane* —6F **35**
Kennet Va. *Ches* —5H **13**
Kenning St. *Clay C* —5E **35**
Kent Clo. *Ches* —5B **14**
Kentmere Clo. *Dron W* —5C **2**
Kent St. *Ches* —4E **23**
Kenwell Dri. *Shef* —1A **2**
Kenyon Av. *Ches* —3G **23**
Keswick Dri. *Ches* —3G **13**
(in two parts)
Keswick Pl. *Dron W* —5B **2**
Kidsley Clo. *Ches* —5E **13**
Kilburn Rd. *Dron W* —5A **2**
Kiln Hill. *Coal A* —3G **3**
Kinder Rd. *Ink* —4B **16**
Kingsclere Wlk. *Ches* —5B **22**
Kings Clo. *Clow* —6G **19**
Kingsley Av. *Ches* —4B **22**
Kingsmede Av. *Ches* —3H **21**
Kings St. *Clow* —6G **19**
King St. *Brim* —1H **15**
King St. *Clay C* —5E **35**
King St. *Clow* —6F **19**
(in two parts)
King St. N. *Ches* —3C **14**
King St. S. *Ches* —5C **22**
Kingswood Clo. *Ches* —2H **13**
Kipling Clo. *Dron* —1G **5**
Kipling Rd. *Ches* —2B **14**
Kirkdale Clo. *Ches* —4D **22**
Kirkstone Rd. *Ches* —2G **13**
Kitchen Wood La. *Dron W*
—6A **2**
Knifesmithgate. *Ches* —1C **22**
Knighton Ct. *N Wing* —2G **35**
Knighton St. *N Wing* —2G **35**
Knoll, The. *Ches* —2D **20**
Knoll, The. *Dron* —3H **3**

Laburnum Clo. *Bsvr* —3F **27**
Laburnum Ct. *Cal* —1A **24**
Laburnum St. *Holl* —1B **16**
Ladybower La. *Stav* —2D **16**
Ladywood Dri. *Ches* —3F **13**
Lakelands. *Wing* —4B **30**
Lake Vw. Av. *Ches* —3G **21**
Lancaster Rd. *Ches* —2A **14**
Lancelot Clo. *Ches* —4H **21**
Landon Clo. *Walt* —5F **21**
Landseer Clo. *Dron* —6C **2**
Langdale Clo. *Ches* —5E **13**
Langdale Dri. *Dron* —3G **3**
Langdale Sq. *Brim* —2F **15**
Langer Fld. Av. *Ches* —5C **22**
Langer La. *Ches & Wing*
—2A **30**
Langhurst Rd. *Ches* —6H **13**
Langley Clo. *Ches* —5E **13**
Langstone Av. *Bsvr* —3G **27**
Langtree Av. *Old W* —1C **14**
Langwith Rd. *Bsvr* —3E **27**
Lansbury Av. *Mas M* —5H **9**
Lansdowne Av. *Ches* —3A **14**
Lansdowne Rd. *Brim* —3F **15**
Larch Way. *Ches* —5H **13**
Large Av. *Heath* —4H **33**
Lathkill Av. *Ink* —4C **16**
Lathkill Gro. *Dane* —6F **35**
Laurel Av. *Ark T* —2D **24**

Laurel Cres. *Holl* —1A **16**
Laurel Gth. Clo. *Old W* —5D **6**
Lawn, The. *Dron* —4F **3**
(in two parts)
Lawn Vs. *Cal* —1A **24**
Lawrence Av. *Hlmwd* —5D **32**
Lawrence Clo. *Ches* —6C **6**
Laxfield Clo. *Ches* —4F **13**
Layton Dri. *Old W* —1D **14**
Leabrook Rd. *Dron W* —5A **2**
Leander Ct. *Stav* —6F **9**
Lea Rd. *Dron* —5E **3**
Lea Vw. *Clow* —4H **11**
Lee Rd. *Ches* —2G **23**
Lees Comn. *Barl* —3B **4**
Leeswood Clo. *Ches* —2H **13**
Leigh Way. *N Wing* —1H **35**
Lenthall's Bk. Row. *Ches*
—1H **2**
Levens Way. *Ches* —2A **14**
Leyburn Clo. *Ches* —5A **14**
Lichfield Rd. *Ches* —4G **21**
Lilac Clo. *Heath* —4F **33**
Lilac Gro. *Bsvr* —3G **27**
Lilac St. *Holl* —1A **16**
Lilleyshale Clo. *Ches* —6B **22**
Lime Av. *Stav* —1E **9**
Lime Clo. *Cal* —1A **24**
Limecroft Vw. *Wing* —3C **30**
Limekiln Fields Rd. *Bsvr*
—2E **2**
Limekiln Way. *Blbgh* —2G **11**
Limetree Clo. *Brim* —4H **15**
Lime Tree Gro. *Ark T* —1D **2**
Lime Tree Gro. *Dane* —6G **35**
Linacre Av. *Dane* —6F **35**
Linacre Rd. *Ches & Ches*
—6E **1**
Lincoln St. *Ches* —4C **22**
Lincoln Way. *N Wing* —2H **3**
Lindale Rd. *Ches* —2H **13**
Linden Av. *Ches* —3F **21**
Linden Av. *Clay C* —6F **35**
Linden Av. *Dron* —3F **3**
Linden Ct. *Clay C* —6F **35**
Linden Dri. *Has* —6F **23**
Linden Pk. Gro. *Ches* —1A **22**
Lindisfarne Ct. *Ches* —3G **21**
Lindisfarne Rd. *Dron* —6F **3**
Lindrick Gdns. *Ches* —4G **21**
Lingfoot Av. *Shef* —1F **3**
Lingfoot Clo. *Shef* —1F **3**
Lingfoot Cres. *Shef* —1F **3**
Lingfoot Pl. *Shef* —1F **3**
Lingfoot Wlk. *Shef* —1G **3**
Ling Rd. *Ches* —4H **21**
Lings Cres. *N Wing* —6A **32**
Links Rd. *Dron* —6F **3**
Linscott Clo. *Ches* —3H **13**
Linton Rd. *Ches* —4G **13**
Lit. Brind Rd. *Ches* —4F **13**
Littlemoor. *Ches* —3H **13**
Littlemoor Cen. *Ches* —3A **14**
Littlemoor Cres. *Ches* —3H **1**
Lit. Morton Rd. *N Wing*
—2H **3**
Litton Clo. *Stav* —2C **13**
Loads Rd. *Holy* —5A **20**
Lockoford La. *Ches* —4C **14**
(in four parts)
Loco Ter. *Has* —6E **23**

Nether Cft. Clo. *Brim* —3G **15**
Nethercroft La. *Dane* —5G **35**
Nether Cft. Rd. *Brim* —3G **15**
Netherdene Rd. *Dron* —5E **3**
(in two parts)
Netherfield Clo. *Stav* —6G **9**
Netherfield Rd. *Ches* —4E **21**
Netherfields Cres. *Dron* —6E **3**
Netherleigh Ct. *Ches* —1F **21**
Netherleigh Rd. *Ches* —1F **21**
Nethermoor Rd. *Old T* —1E **35**
Nethermoor Rd. *Wing* —4B **30**
Nether Springs Rd. *Bsvr*
—1D **26**
Netherthorpe. *Stav* —6G **9**
Netherthorpe Clo. *Stav* —6F **9**
Netherthorpe Rd. *Stav* —6F **9**
Nevis Clo. *Ches* —6H **13**
New Barlborough Clo. *Clow*
—3H **11**
New Beetwell St. *Ches* —1C **22**
Newbold Av. *Ches* —4A **14**
Newbold Bk. La. *Ches* —4H **13**
(in two parts)
Newbold Dri. *Ches* —4A **14**
Newbold Rd. *Ches* —2E **13**
Newbold Village. Ches —4H *13*
(off Newbold Rd.)
Newbridge Ct. *Old W* —1C **14**
Newbridge Dri. *Brim* —2F **15**
Newbridge La. *Old W & Brim*
(in three parts)   —6C **6**
Newbridge St. *Old W* —1C **14**
Newby Rd. *Ches* —2G **13**
New Ct. *Ches* —1C **22**
New Hall Rd. *Ches* —2H **21**
New Haven Clo. *Ches* —3F **21**
Newland Dale. *Ches* —6C **14**
Newland Gdns. *Ches* —5A **14**
Newlands Av. *Ches* —1G **21**
Newmarket La. *Clay C* —5A **34**
New Queen St. *Ches* —6C **14**
New Rd. *Blbgh* —1F **11**
New Rd. *Holy* —5B **20**
New Rd. *Wing* —3A **30**
New Sq. *Ches* —1C **22**
New Sta. Rd. *Bsvr* —3D **26**
Newstead Clo. *Dron W* —5A **2**
New St. *Bsvr* —1E **27**
New St. *Ches* —2C **22**
New St. *Gras* —3G **31**
New St. *N Wing* —2G **35**
Newtons Cft. Cres. *Blbgh*
—2F **11**
Nicholas St. *Has* —5F **23**
Nightingale Clo. *Dane* —6G **35**
Norbriggs Rd. *Mas M* —5H **9**
Norbury Clo. *Ches* —5F **13**
Norbury Clo. *Dron W* —5B **2**
Norfolk Av. *Gras* —4H **31**
Norfolk Clo. *Walt* —4F **21**
North Clo. *Uns* —2A **6**
North Cres. *Duck* —4G **17**
Northern Comn. *Dron W*
—3A **2**
Northfield La. *Pal* —6F **27**
Northfields. *Clow* —6G **19**
North Gro. *Duck* —4G **17**
North La. *Old Br* —6B **12**
N. Moor Clo. *Brim* —3H **15**
Northmoor Vw. *Brim* —3G **15**

North Rd. *Cal* —1H **23**
North Rd. *Clow* —5F **19**
North Side. *New T* —5E **31**
North St. *Clay C* —3C **34**
North St. *N Wing* —2G **35**
North Ter. *Has* —5D **22**
N. View St. *Bsvr* —4C **26**
N. Wingfield Rd. *Gras* —1F **31**
Norton Av. *Ches* —4E **21**
Norton Av. *Shut* —4D **18**
Norwood Av. *Has* —5F **23**
Norwood Clo. *Has* —6G **23**
Nottingham Clo. *Wing* —3D **30**
Nottingham Dri. *Wing* —3D **30**
Nuttack La. *Ash* —6B **12**

Oakamoor Clo. *Ches* —5F **13**
Oak Bank Av. *Old W* —5D **6**
Oak Clo. *Brim* —3F **15**
Oak Cres. *Wing* —3B **30**
Oakdale Clo. *Dane* —6G **35**
Oakdell. *Dron* —3H **3**
Oakfield Av. *Ches* —3F **21**
Oakhill Rd. *Dron* —4G **3**
Oaklea Way. *Old T* —2D **34**
Oakley Av. *Ches* —6A **14**
Oak Rd. *Gras* —3H **31**
Oaks Farm La. *Cal* —2A **24**
Oaks La. *Barl* —1A **12**
Oak St. *Holl* —1A **16**
Oak Tree Clo. *Ark T* —1D **24**
Oak Tree Cotts. *Cal* —3A **24**
Oak Tree Rd. *Clow* —6F **19**
Occupation La. *N Wing*
—2G **35**
Occupation Rd. *Ches* —2B **14**
Offridge Clo. *Clow* —6G **19**
Old Bakery Clo. *Old W* —6C **6**
Old Colliery La. *Hlmwd* —6E **33**
Old Cotts. *Ches* —1E **23**
Old Hall Rd. *Ches* —2H **21**
Old Hill. *Bsvr* —2E **27**
Old Ho. Rd. *Ches* —4H **13**
Old Mill Dri. *Ches* —3E **13**
Old Peverel Rd. *Duck* —5G **17**
Old Quarry Clo. *Blbgh* —2F **11**
Oldridge Clo. *Ches* —4F **13**
Old Rd. *Ches* —1E **21**
Old School La. *Cal* —2H **23**
Old Whittington La. *Uns* —2A **6**
Orchard Clo. Blbgh —1E *11*
(off West End)
Orchard Clo. *Bsvr* —3F **27**
Orchard Clo. *Clow* —6F **19**
Orchard Sq. *Dron W* —4B **2**
Orchards Way. *Ches* —3G **21**
Orchard Vw. *Bsvr* —4D **26**
Orchard Vw. Rd. *Ches* —6G **13**
Orchid Clo. *Cal* —1A **24**
Ormesby Clo. *Dron W* —5A **2**
Ormond Clo. *Walt* —5F **21**
Ormsby Rd. *Ches* —3B **14**
Orwins Clo. *Ches* —3H **13**
Outram Rd. *Ches* —4B **14**
Ovencroft La. *Bsvr* —1G **27**
Overlees. *Barl* —5B **4**
Overton Clo. *Stav* —5F **9**
Owlcoates Vw. *Bsvr* —4E **27**
Owler Car La. *Coal A* —2H **3**
Ox Clo. *Clay C* —4F **35**

Oxclose Dri. *Dron W* —5A **2**
Oxclose La. *Dron W* —5A **2**
Oxcroft La. *Bsvr* —2E **27**
Oxcroft Way. *Blbgh* —2F **11**
Oxford Clo. *Brim* —2H **15**
Oxford Rd. *Brim* —2H **15**

Packer's Row. *Ches* —1C **22**
Paddock Clo. *Wing* —3C **30**
Paddocks, The. *Mas M* —5A **10**
Paddock, The. *Bsvr* —3F **27**
Paddock Way. *Dron* —4F **3**
(in two parts)
Padley Way. *N Wing* —3H **35**
Paisley Clo. *Stav* —2C **16**
Palmer Cotts. *Gras* —3G **31**
Palmer Cres. *Dron* —5F **3**
Palterton La. *Sut S* —6G **25**
(in two parts)
Pankhurst Pl. *Clay C* —5E **35**
Park Av. *Dron* —4F **3**
Park Clo. *Ches* —5C **22**
Park Dri. *Ches* —3D **22**
Parker Av. *Cal* —1H **23**
Parkers Yd. *Ches* —1D **22**
Park Farm. *Dron W* —4A **2**
Parkfields. *Clow* —6F **19**
Parkgate La. *Mar L* —3G **7**
Park Hall Av. *Walt* —4E **21**
Park Hall Clo. *Walt* —5F **21**
Park Hall Gdns. *Walt* —4F **21**
Parkhouse Clo. *Clay C* —4D **34**
Parkhouse Rd. *Lwr P* —3H **35**
Parkland Dri. *Wing* —4C **30**
Park La. *Ches* —3B **14**
Park Rd. *Ches* —3B **22**
Park Rd. *Hlmwd* —5D **32**
Park Rd. *Old T* —1E **35**
Park Row. *Clay C* —4F **35**
Parkside Vw. *Ches* —4F **13**
Park St. *Blbgh* —1F **11**
Park St. *Ches* —5C **22**
Park Vw. *Blbgh* —1F **11**
Park Vw. *Clow* —3H **11**
(Monnies End)
Park Vw. *Clow* —4G **19**
(Southgate Cres.)
Park Vw. *Has* —5F **23**
Park Vw. *N Wing* —1H **35**
Parwich Clo. *Ches* —5E **13**
Parwich Rd. *N Wing* —2H **35**
Paton Gro. *Brim* —2F **15**
Patterdale Clo. *Dron W* —5C **2**
Pattison St. *Shut* —4D **18**
Pavement Cen., The. Ches
(off Wheeldon La.) —1C *22*
Pavilion Workshops. *Hlmwd*
—5D **32**
Paxton Rd. *Ches* —5E **15**
Peak Pl. *Ink* —3D **16**
Peak Vw. Rd. *Ches* —6H **13**
Pearce La. *Wing* —3G **29**
Peartree Av. *Wing* —3A **30**
Pear Tree Clo. *Holl* —2A **16**
Peel Gdns. *Dron* —5D **2**
Peggars Clo. *Blbgh* —2F **11**
Pembroke Clo. *Ches* —3G **21**
Pembroke Rd. *Dron* —6E **3**
Penistone Gdns. *Dane* —6F **35**
Penmore Clo. *Has* —3E **23**

Penmore Gdns. *Has* —4E **23**
Penmore La. *Has* —4E **23**
Penmore St. *Has* —4E **23**
Penncroft Dri. *Dane* —5F **35**
Penncroft La. *Dane* —6F **35**
Pennine Wlk. Gras —3H *31*
(off Pennine Way)
Pennine Way. *Ches* —5G **13**
Pennine Way. *Gras* —3H **31**
Pennywell Dri. *Holy* —5B **20**
Penrose Cres. *Ark T* —1D **24**
Pentland Clo. *Ches* —5G **13**
Pentland Rd. *Dron W* —5B **2**
Peterdale Clo. *Brim* —2G **15**
Peterdale Rd. *Brim* —2G **15**
Peters Av. *Clay C* —4D **34**
Pettyclose La. *Ches* —5F **15**
Pevensey Av. *Ches* —4A **14**
Pevensey Ct. *Ches* —3A **14**
Peveril Rd. *Bsvr* —1D **26**
Peveril Rd. *Ches* —3B **14**
Pewit Clo. *Hlmwd* —6D **32**
Piccadilly Rd. *Ches* —2D **22**
Pickton Clo. *Ches* —2H **21**
Pighills La. *Coal A* —2B **3**
Pike Clo. *Ches* —5F **13**
Pilsley Rd. *Dane* —5G **35**
Pindale Av. *Ink* —3C **16**
Pine St. *Holl* —2A **16**
Pine Tree Ct. *Clow* —6F **19**
Pine Vw. *Ches* —1F **21**
Pine Vw. *Dane* —6G **35**
Pinfold Clo. *Holy* —4C **20**
Piper Av. *Clay C* —4G **35**
Piper La. *Ash* —1C **20**
Pitt La. *Dane* —5G **35**
Pleasant Av. *Bsvr* —5F **27**
Pleasant Pl. *Ches* —1H **21**
Plover Way. *Cal* —1H **23**
Pocknedge La. *Holy* —3B **20**
Polyfields La. *Bsvr* —4F **27**
Pond La. *New T* —6F **31**
Pond La. *Wing* —2A **30**
Pond St. *Ches* —2C **22**
Pondwell Dri. *Brim* —3H **15**
Poolsbrook Av. *Pool* —2G **17**
Poolsbrook Cres. *Pool* —2G **17**
Poolsbrook Rd. *Duck* —4G **17**
Poolsbrook Sq. *Pool* —2G **17**
Poolsbrook Vw. *Pool* —2G **17**
Pool's La. *Mar L* —1E **7**
Poplar Av. *Ches* —2F **21**
Poplar Clo. *Dron* —1G **5**
Poplar Dri. *New T* —5E **31**
Poplar Pl. *Ches* —2B **14**
Porter St. *Stav* —6E **9**
Portland Av. *Bsvr* —3F **27**
Portland Cres. *Bsvr* —3F **27**
Portland St. *Clow* —5H **19**
Postmans La. *Temp N* —2C **33**
Potters Clo. *Old W* —6D **6**
Pottery La. E. *Ches* —3D **14**
Pottery La. W. *Ches* —3D **14**
Press La. *Old T* —6G **29**
Pretoria St. *Shut* —4D **18**
Priestfield Gdns. *Ches* —3F **13**
Primrose Ct. *Ches* —5F **15**
Princess Pl. *Clay C* —6E **35**
Princess Rd. *Dron* —4E **3**
Princess St. *Brim* —1H **15**

rincess St. *Ches* —6B **14**
'ringle La. *Ches* —4B **6**
riory Clo. *Walt* —5F **21**
rivate Dri. *Holl* —2A **16**
rospect Rd. *Dron* —3G **3**
rospect Rd. *Old W* —6B **6**
rospect Ter. *Ches* —6A **14**
'ullman Rd. *Stav* —5F **9**
urbeck Av. *Ches* —6H **13**
ynot Rd. *Old W* —6D **6**

uantock Way. *Ches* —5F **13**
uarry Bank Rd. *Ches* —2E **23**
uarry La. *Ches* —2G **21**
uarry Rd. *Bsvr* —1E **27**
ueen Mary Rd. *Ches* —3F **21**
ueen St. *Brim* —1H **15**
ueen St. *Ches* —6B **14**
ueen St. *Clay C* —6E **35**
ueen St. *Stav* —2D **16**
ueen St. N. *Ches* —2C **14**
ueens Wlk. *Hlmwd* —5E **33**
ueen's Wlk. *New T* —5F **31**
(off Mather's Way)
ueensway. *Hlmwd* —5E **33**
ueen's Way. *New T* —5F **31**
ueen Victoria Rd. *New T*
—5E **31**
uoit Grn. *Dron* —5F **3**
uorn Dri. *Ches* —5E **13**

acecourse Mt. *Ches* —2B **14**
acecourse Rd. *Ches* —2B **14**
adbourne Comn. *Dron W*
—5B **2**
ailway Cotts. *Hlmwd* —5F **33**
ailway Ter. *Has* —5D **22**
alph Rd. *Stav* —6G **9**
amsey Av. *Ches* —3H **21**
amshaw Clo. *Ches* —3G **13**
amshaw Rd. *Uns* —2A **6**
aneld Mt. *Ches* —4G **21**
anmoor Clo. *Ches* —4E **23**
ansom La. *Bsvr* —3G **27**
avensdale Clo. *Ink* —5C **16**
avensdale Rd. *Dron W* —5A **2**
avenside Retail Pk. *Ches*
—2C **22**
avenswood Rd. *Ches* —5E **13**
awlins Ct. *Coal A* —2G **3**
ayleigh Av. *Brim* —2F **15**
ecreation Clo. *Clow* —5F **19**
ecreation Rd. *Brim* —5H **15**
ectory Clo. *Duck* —1G **25**
ectory Dri. *Stav* —2A **30**
ectory Rd. *Clow* —5F **19**
ectory Rd. *Duck* —5G **17**
ectory Rd. *Stav* —6E **9**
edacre Clo. *Bsvr* —3G **27**
edbrook Av. *Has* —4D **22**
edfern St. *Old T* —1E **35**
edgrove Way. *Ches* —4G **21**
ed Ho. Clo. *New W* —4F **7**
ed Ho. Wlk. *Ches* —5H **13**
ed La. *Old W* —1E **15**
ednall Clo. *Ches* —5E **13**
ed Row. *Ches* —2G **21**
edvers Buller Rd. *Ches*
—3C **22**

Redwood Clo. *Holl* —2A **16**
Regent St. *Clow* —4H **11**
Rembrandt Dri. *Dron* —5C **2**
Renishaw Rd. *Mas M* —3A **10**
Repton Clo. *Ches* —5E **13**
Repton Pl. *Dron W* —5A **2**
Reservoir Ter. *Ches* —6A **14**
Reynolds Clo. *Dron* —6C **2**
Rhodes Av. *Ches* —5A **14**
Rhodes Cotts. *Clow* —5G **19**
Rhodesia Rd. *Ches* —2G **21**
Riber Clo. *Ink* —5C **16**
Riber Cres. *Old T* —3D **34**
Riber Ter. *Ches* —2A **22**
Richmond Clo. *Ches* —4A **22**
Ridd Way. *Wing* —3C **30**
Ridgedale Rd. *Bsvr* —3E **27**
Ridgway W. *Clow* —6F **19**
Ridgeway Av. *Bsvr* —2G **27**
Ridgeway, The. *Coal A* —3H **3**
Ridgway. *Clow* —6G **19**
Riggotts La. *Ches* —5H **21**
Riggotts Way. *Cut* —2C **12**
Ringer La. *Clow* —6F **19**
Ringer Way. *Clow* —6F **19**
Ringwood Av. *Ches* —3A **14**
Ringwood Av. *Stav* —2C **16**
Ringwood Rd. *Brim* —2H **15**
Ringwood Vw. *Brim* —3H **15**
Riverdale Pk. Cvn. Site. *Stav*
—5G **9**
Riverside Cres. *Holy* —5C **20**
Robert Clo. *Uns* —3A **6**
Robertson's Av. *Duck* —6G **17**
Robincroft. *Ches* —5B **22**
Robincroft Rd. *Wing* —2H **29**
Rocester Way. *N Wing* —2H **35**
Rock Cres. *Clay C* —3C **34**
Rockingham Clo. *Ches* —1G **21**
Rockingham Clo. *Dron W*
—5A **2**
Rock La. *Sut S* —6E **25**
Rockley Clo. *Ches* —5A **22**
Rodge Cft. *Old W* —5C **6**
Rod Moor Rd. *Dron W* —2A **2**
Rodsley Clo. *Ches* —5F **13**
Rodwood Av. *Blbgh* —1E **11**
Roecar Clo. *Old W* —6D **6**
Romeley Cres. *Clow* —5H **11**
Romford Way. *Bar H* —5B **8**
Romney Dri. *Dron* —5C **2**
Rood La. *Clow* —6F **19**
Rose Av. *Cal* —1A **24**
Rose Av. *Clow* —4H **19**
Rose Ct. *Clay C* —4C **34**
Rose Cres. *Mas M* —4A **10**
Rosedale Av. *Ches* —4D **22**
Rosedale Vw. *Walt* —5F **21**
Rose Hill. *Ches* —1B **22**
Rosehill Ct. *Bsvr* —3E **27**
Rose Hill E. *Ches* —1C **22**
Rose Hill W. *Ches* —1B **22**
Rosene Cotts. *Cut* —3C **12**
Rose Wood Clo. *Ches* —2H **13**
Rosling Way. *Ark T* —2D **24**
Rossendale Clo. *Ches* —4A **22**
Roston Clo. *Dron W* —5B **2**
Rothay Clo. *Dron W* —6C **2**
Rother Av. *Brim* —2F **15**
Rother Clo. *Ches* —4A **22**
Rother Cft. *New T* —6F **31**

Rotherham Rd. *Bsvr* —4H **27**
Rotherham Rd. *Wdll & Blbgh*
—1H **11**
Rother M. *Dron W* —5B **2**
Rothervale Rd. *Ches* —4C **22**
(in two parts)
Rother Way. *Ches* —4D **14**
Rothey Gro. *Ches* —5D **12**
Rowan Rd. *Mas M* —5A **10**
Rowsley Cres. *Stav* —2C **16**
Royston Clo. *Walt* —5F **21**
Rubens Clo. *Dron* —5D **2**
Rufford Clo. *Ches* —3A **22**
Rushen Mt. *Ches* —6A **22**
Rusk, The. *Blbgh* —2F **11**
Russell Gdns. *Old T* —2D **34**
Ruston Clo. *Ches* —4F **13**
Ruthyn Av. *Blbgh* —1E **11**
Rutland Av. *Bsvr* —3E **27**
Rutland Rd. *Ches* —1B **22**
Rutland St. *Old W* —6C **6**
Rutland Ter. *Barl* —5C **4**
Rydal Clo. *Dron W* —5B **2**
Rydal Cres. *Ches* —2A **14**
Rydal Way. *Clay C* —5D **34**
Rye Ct. *Dane* —5F **35**
Rye Cres. *Dane* —5F **35**
Rye Flat La. *Ches* —2F **21**
Ryehill Av. *Ches* —2E **21**
Rykneld Ct. *Clay C* —5E **35**
Rykneld Ri. *Wing* —3C **30**

Sackville Clo. *Walt* —4F **21**
St Albans Clo. *Hlmwd* —6E **33**
St Andrews Ri. *Ches* —4G **21**
St Augustines Av. *Ches*
—4C **22**
St Augustines Cres. *Ches*
—4C **22**
St Augustines Dri. *Ches*
—3C **22**
St Augustines Mt. *Ches*
—4C **22**
St Augustines Ri. *Ches* —4C **22**
St Augustines Rd. *Ches*
—4B **22**
St David's Ri. *Ches* —4H **21**
St Giles Clo. *Ches* —4D **22**
St Helen's Clo. *Ches* —6C **14**
St Helen's St. *Ches* —6C **14**
St James Clo. *Ches* —3E **23**
St Johns Clo. *Walt* —5F **21**
St John's Cres. *Clow* —6G **19**
St John's Mt. *Ches* —2B **14**
St John's Rd. *Ches* —3A **14**
(in two parts)
St Johns Rd. *Stav* —1C **16**
St John's Rd. *Uns* —1A **6**
St Lawrence Av. *Bsvr* —3G **27**
St Lawrence Rd. *N Wing*
—1H **35**
St Leonards Dri. *Ches* —3E **23**
St Lukes Ct. *Ches* —2B **14**
St Margaret's Dri. *Ches*
—1B **22**
St Mark's Rd. *Ches* —1A **22**
St Mary's Ga. *Ches* —1D **22**
St Mary's Pl. *Ches* —1D **22**
St Pauls Av. *Has* —6F **23**

St Peters Clo. *Duck* —6G **17**
St Philip's Dri. *Has* —4D **22**
St Quentin Dri. *Shef* —1A **2**
St Quentin Mt. *Shef* —1A **2**
St Quentin Ri. *Shef* —1A **2**
St Quentin Vw. *Shef* —1A **2**
St Thomas St. *Ches* —2G **21**
Salcey Sq. *Ches* —3H **21**
Sales Av. *New T* —6E **31**
Salisbury Av. *Ches* —3A **14**
Salisbury Av. *Dron* —6E **3**
Salisbury Cres. *Ches* —3B **14**
Salisbury Rd. *Dron* —1F **5**
Saltergate. *Ches* —1B **22**
Salvin Cres. *Clow* —5F **19**
Sandhills Rd. *Bsvr* —3F **27**
Sandiway. *Ches* —4G **21**
Sandringham Clo. *Cal* —6A **16**
Sandringham Rd. *Cal* —6A **16**
Sandstone Av. *Walt* —3F **21**
Sanforth St. *Ches* —4C **14**
Saunders Gro. *Duck* —5G **17**
Scarsdale Clo. *Dron* —6F **3**
Scarsdale Cres. *Brim* —3F **15**
Scarsdale Cross. *Dron* —5F **3**
Scarsdale Rd. *Ches* —2C **14**
Scarsdale Rd. *Dron* —5E **3**
Scarsdale St. *Bsvr* —4C **26**
School Board La. *Ches*
—2A **22**
School Clo. *Heath* —5F **33**
School Hill. *Cut* —3B **12**
School La. *Ark T* —1D **24**
School La. *Dron* —5E **3**
School Rd. *Ches* —3C **14**
Scott Clo. *Gras* —3G **31**
Searson Av. *Bsvr* —3E **27**
Searston Av. *Hlmwd* —6D **32**
Sedbergh Cres. *Ches* —3H **13**
Sedgemoor Clo. *Ches* —6F **13**
Selby Clo. *Ches* —4G **21**
Selhurst Rd. *Ches* —5B **14**
Selmer Ct. *Brim* —2F **15**
Selwyn St. *Bsvr* —4G **27**
Setts Way. *Wing* —2D **30**
Severn Cres. *N Wing* —3H **35**
Seymour La. *Mas M* —1A **18**
(in two parts)
Shaftesbury Av. *Ches* —1H **21**
Shafton Clo. *Clay C* —4G **35**
Shafton Wlk. *Clay C* —4G **35**
Shakespeare Clo. *Old T*
—2D **34**
Shakespeare Cres. *Dron*
—6G **3**
Shakespeare St. *Gras* —3G **31**
Shakespeare St. *Hlmwd*
—5D **32**
Shambles, The. *Ches* —1C **22**
Shamrock Pl. *Mas M* —4A **10**
Shap Clo. *Ches* —5G **13**
Shaws Row. *Ches* —2H **21**
Shaw St. *Ches* —2C **14**
Shaw St. *Coal A* —2G **3**
Shaw St. *Hlmwd* —5D **32**
Sheards Clo. *Dron W* —4D **2**
Sheards Dri. *Dron W* —5C **2**
Sheards Way. *Dron W* —5D **2**
Sheepbridge La. *Ches* —5A **6**
Sheepbridge Trad. Est. *Ches*
—5G **5**

Sheepbridge Works. *Ches* —6A **6**
Sheeplea La. *Asvr* —6B **28**
Sheffield Rd. *Ches* —5A **6**
Sheffield Rd. *Clow* —5H **19**
Sheffield Rd. *Dron* —3D **2**
(in two parts)
Sheffield Rd. *Ren & Blbgh* —1B **10**
Sheffield Rd. *Whit M* —2C **14**
(in three parts)
Sheldon Rd. *Ches* —5F **13**
Shelley Dri. *Dron* —1G **5**
Shelley St. *Hlmwd* —5D **32**
Shepley St. *Ches* —2H **21**
Shepleys Yd. *Ches* —1C **22**
Sherbourne Av. *Ches* —2A **14**
Sherwood Pl. *Dron W* —5B **2**
Sherwood Rd. *Dron W* —5B **2**
Sherwood St. *Bsvr* —4D **26**
Sherwood St. *Ches* —3D **22**
Shetland Rd. *Dron* —6F **3**
Shinwell Av. *Ink* —3B **16**
Shire La. *Sut S* —1F **33**
Shireoaks Rd. *Dron* —4G **3**
Shirland St. *Ches* —6C **14**
Shirley Clo. *Ches* —5F **13**
Short Clo. *Holy* —5B **20**
Shunters Drift. *Blbgh* —2F **11**
Shuttlewood Rd. *Bsvr* —4D **18**
Sidlaw Clo. *Ches* —5G **13**
Silverdale Clo. *Ches* —1A **14**
Sims Cft. *Old W* —5E **7**
Sitwell Av. *Ches* —3B **22**
Skeldale Dri. *Ches* —4D **22**
Skelwith Clo. *Ches* —2H **13**
Skiddaw Clo. *Ches* —4H **13**
Slack La. *Ches* —1F **21**
Slack La. *Heath* —3F **33**
Slag La. *Mar L* —2F **7**
Slaley Vw. Rd. *Blbgh* —2F **11**
Slater St. *Clay C* —5F **35**
Slayley Hill. *Clow* —4G **11**
Slayley Vw. *Clow* —3G **11**
Smeckley Wood Clo. *Ches* —5G **5**
Smeltinghouse La. *Barl* —5C **4**
Smith Av. *Ink* —3B **16**
Smith Clo. *Wing* —2D **30**
Smith Ct. *Bsvr* —1D **26**
Smith Cres. *Ches* —3F **23**
Smithfield Av. *Ches* —5E **23**
Smithson Av. *Bsvr* —3F **27**
Smithy Av. *Clay C* —4E **35**
Smithy Cft. *Dron W* —4A **2**
Smithy Pl. *Gras* —4H **31**
Snape Hill. *Dron* —4E **3**
Snapehill Clo. *Dron* —3E **3**
Snapehill Cres. *Dron* —3E **3**
Snapehill Dri. *Dron* —3E **3**
Snape Hill La. *Dron* —4E **3**
Snelston Clo. *Dron W* —5A **2**
Snipe Clo. *Holy* —5B **20**
Soaper La. *Dron* —4E **3**
Solway Ri. *Dron W* —4B **2**
Somersall Clo. *Ches* —3E **21**
Somersall Hall Dri. *Ches* —3E **21**
Somersall La. *Ches* —4E **21**
Somersall Pk. Rd. *Ches* —3E **21**

Somersall Willows. *Ches* —3E **21**
Somersby Av. *Walt* —5F **21**
Somerset Dri. *Brim* —1H **15**
Soresby St. *Ches* —1C **22**
South Clo. *Uns* —2A **6**
Southcote Dri. *Dron W* —5B **2**
South Cres. *Bsvr* —3F **27**
South Cres. *Duck* —5G **17**
Southdown Av. *Ches* —6G **13**
Southend. *Gras* —4H **31**
Southfield Av. *Has* —6F **23**
Southfield Dri. *Dron* —6G **3**
Southfield Mt. *Dron* —6G **3**
Southfields. *Clow* —6G **19**
Southgate Cres. *Clow* —4G **19**
Southgate Way. *Bar H* —4B **8**
S. Lodge Ct. *Ches* —1F **21**
Southmoor Clo. *Brim* —6H **15**
South Pl. *Brmp* —2H **21**
South Pl. *Ches* —2C **22**
South St. *Ches* —2C **22**
South St. N. *New W* —5F **7**
South Ter. *Cut* —3B **12**
Southwood Av. *Dron* —1E **5**
Southwood Dri. *Clow* —6G **19**
Sowters Row. *Ches* —1C **22**
(off Shambles, The)
Spa La. *Ches* —1D **22**
(in two parts)
Sparrowbusk Clo. *Blbgh* —2F **11**
Speedwell Ind. Est. *Stav* —1E **17**
Speetley Vw. *Blbgh* —1F **11**
Speighthill Cres. *Wing* —2A **30**
Spencer Av. *Mas M* —6H **9**
Spencer St. *Bsvr* —4D **26**
Spencer St. *Ches* —6C **14**
Spinney, The. *Brim* —2F **15**
Spital Gdns. *Ches* —3E **23**
Spital La. *Ches* —2D **22**
Spittal Grn. *Bsvr* —4E **27**
Springbank. *Uns* —6H **3**
Spring Bank Rd. *Ches* —1B **22**
Springfield Av. *Ches* —1H **21**
Springfield Clo. *Clow* —6F **19**
Springfield Cres. *Bsvr* —1D **26**
Springfield Rd. *Barl* —5B **4**
Springfield Rd. *Hlmwd* —6D **32**
Spring Ho. Clo. *Ash* —5D **12**
Spring Pl. *Ches* —1C **22**
Springvale Clo. *Dane* —6F **35**
Spring Va. Rd. *Brim* —2F **15**
Springvale Rd. *Dane* —6F **35**
Springwell Hill. *Mar L* —2G **7**
Spring Wood Clo. *Ches* —2G **13**
Springwood Ct. *New W* —4F **7**
Springwood St. *Temp N* —2B **32**
Square, The. *Cut* —3D **12**
Square, The. *Dane* —5G **35**
Stables Ct. *Bsvr* —3G **27**
Stafford Clo. *Dron W* —4A **2**
Stainsby Clo. *Hlmwd* —6F **33**
Stanage Way. *Ches* —5E **13**
Stand Rd. *Ches* —2B **14**
Stanford Rd. *Dron W* —5A **2**
Stanford Way. *Walt* —4F **21**
Stanley Av. *Ink* —4B **16**

Stanley St. *Ches* —2E **23**
Stanwood Dri. *Walt* —4F **21**
Statham Av. *New T* —6E **31**
Stathers La. *Hlmwd* —6E **33**
Sta. Back La. *Ches* —1D **22**
Station La. *Old W & New W* —6D **6**
Station New Rd. *Old T* —1E **35**
Station Rd. *Bar H* —5B **8**
Station Rd. *Bsvr* —2C **26**
Station Rd. *Brim* —2E **15**
Station Rd. *Ches* —1D **22**
Station Rd. *Clow* —5F **19**
Station Rd. *Holl* —1H **15**
Station Rd. *N Wing* —1G **35**
Station Rd. *Whit M* —2C **14**
Station Ter. *Ches* —2E **15**
Staveley La. *Eck* —1E **9**
Staveley La. *Stav* —1H **7**
Staveley Rd. *Duck* —5E **17**
Staveley Rd. *New W* —5G **7**
Staveley Rd. *Pool* —2F **17**
Steele Av. *Ink* —4B **16**
Steel La. *Bsvr* —2F **27**
Steel's La. *Pal* —6F **27**
Steeping Clo. *Brim* —2G **15**
Steep La. *Wing* —2E **29**
Stephenson Pl. *Ches* —1C **22**
Stephenson Pl. *Clay C* —4C **34**
Stephenson Rd. *Stav* —1E **17**
Sterland St. *Ches* —1A **22**
Sterry Clo. *Clow* —6F **19**
Stevens Ct. *Ches* —1C **22**
Stillman Clo. *Has* —4E **23**
Stockley Vw. *Bsvr* —4F **27**
Stollard St. *Clay C* —4F **35**
Stone Clo. *Coal A* —3G **3**
Stonegravels La. *Ches* —5C **14**
Stoneholes Dri. *Dane* —6G **35**
Stone La. *New W* —4F **7**
Stonelow Ct. *Dron* —4F **3**
(off Paddock Way)
Stonelow Cres. *Dron* —4G **3**
Stonelow Grn. *Dron* —4F **3**
Stonelow Rd. *Dron* —4F **3**
Stone Rd. *Coal A* —2G **3**
Stone Row. *Ches* —2A **22**
Stoneycroft La. *Wing* —2E **29**
Stoops Clo. *Ches* —4H **13**
Stoppard Row. *Ches* —2G **21**
Storforth La. *Ches & Has* —5C **22**
Storforth La. Ter. *Has* —4E **23**
Storforth La. Trad. Est. *Ches & Has* —4D **22**
Storrs Rd. *Ches* —2F **21**
Stour Clo. *Brim* —2G **15**
Stradbroke Ri. *Ches* —4G **21**
Stratton Rd. *Bsvr* —2E **27**
Stretton Rd. *Clay C* —6E **35**
Stride, The. *Ches* —5B **22**
Stuart Clo. *Ches* —4E **15**
Stubbing Rd. *Ches* —5B **22**
Stubley Clo. *Dron W* —3C **2**
Stubley Cft. *Dron W* —4B **2**
Stubley Dri. *Dron W* —4C **2**
Stubley Hollow. *Dron* —4C **2**
Stubley La. *Dron W* —4B **2**
Stubley Pl. *Dron* —4C **2**
Sub-Station La. *Ches* —2C **14**
(off Queen St. N.)

Sudbury Clo. *Ches* —5F **13**
Sudhall Clo. *Ches* —2H **13**
Sudhall Ct. *Ches* —2H **13**
Summerfield Cres. *Brim* —2F **15**
Summerfield Rd. *Ches* —3B **22**
Summerfield Rd. *Dron* —3F **3**
Summerley Wlk. *Ches* —5H **3**
Summerskill Grn. *Ink* —3C **16**
Summerwood La. *Dron* —3D **2**
Summerwood Pl. *Dron* —4D **2**
Sunningdale Clo. *Ches* —4A **22**
Sunningdale Pk. Cvn. Pk. *New T* —5E **31**
Sunningdale Ri. *Ches* —4G **21**
Sunny Brook Clo. *Clow* —6F **19**
Sunny Springs. *Ches* —6C **14**
Sutton Cres. *Ink* —3C **16**
Sutton Hall Rd. *Bsvr* —4C **26**
Sutton La. *Ark T* —2D **24**
Sutton Vw. *Bsvr* —4F **27**
Swaddale Av. *Ches* —4D **14**
Swaddale Clo. *Ches* —4D **14**
Swalebank Clo. *Ches* —4D **22**
Swanbourne Clo. *Has* —4E **23**
Swanwick St. *Old W* —6C **6**
Swathwick Clo. *Wing* —2A **30**
Swathwick La. *Wing* —2D **28**
Swinger La. *Asvr* —6B **28**
Swinscoe Way. *Ches* —5E **13**
Sycamore Av. *Ches* —3A **22**
Sycamore Av. *Dron* —3E **3**
Sycamore Clo. *Bsvr* —2G **27**
Sycamore La. *Blbgh* —2F **11**
Sycamore Rd. *Holl* —1H **15**
Syday La. *Spin* —1C **10**
Sydney St. *Ches* —1A **22**
Sylvan Clo. *Ches* —3D **22**
Sylvan Dri. *Old T* —2C **34**
Sylvia Rd. *Uns* —2H **5**

Taddington Rd. *Ches* —5F **13**
Talbot Cres. *Has* —5F **23**
Talbot St. *Has* —5F **23**
Tallys End. *Blbgh* —2E **11**
Tansley Dri. *Ches* —5E **13**
Tansley Rd. *N Wing* —3H **35**
Tansley Way. *Ink* —4C **16**
Tap La. *Ches* —1A **22**
Tapton Grange. *Brim* —5G **15**
Tapton Gro. *Brim* —5G **15**
Tapton La. *Ches* —1D **22**
Tapton Pk. *Ches* —5E **15**
Tapton Ter. *Ches* —6D **14**
Tapton Vw. *Ches* —5E **15**
Tapton Vw. Rd. *Ches* —5B **14**
Tapton Way. *Cal* —1H **23**
Tay Clo. *Dron W* —4B **2**
Taylor Cres. *Ches* —3F **23**
Telford Cres. *Stav* —6F **9**
Temple Normanton Bus. Pk. *Has* —2A **36**
Temple Normanton By-Pass. *Temp N* —2B **32**
Tennyson Av. *Ches* —1B **22**
Tennyson St. *Hlmwd* —5D **32**
Tennyson Way. *Gras* —3G **31**
Thanet St. *Clay C* —5E **35**
Theatre La. *Ches* —1D **22**

Theatre Yd. *Ches* —1C **22**
(off Low Pavement)
airlmere Dri. *Dron* —4E **3**
airlmere Rd. *Ches* —3G **13**
airteen Row. *Pal* —6E **27**
nompson Clo. *Ches* —2C **14**
nompson St. *Ches* —3C **14**
noresby Av. *Clow* —5H **19**
noresby Pl. *Ink* —4C **16**
nornbridge Cres. *Ches*
     —6B **22**
norncliff Cres. *Ches* —6C **22**
norndene Clo. *Ches* —4C **14**
norndon Way. *Ches* —4G **21**
norne Clo. *Ash* —6D **12**
nornfield Av. *Ches* —3F **21**
nornfield Ct. *Ches* —5C **14**
nornton Pl. *Dron W* —5A **2**
norntree Ct. *Ches* —5B **22**
norpe Av. *Coal A* —2G **3**
norpe Clo. *Ches* —2B **14**
norpleigh Rd. *Mas M* —6H **9**
bshelf Rd. *Hlmwd* —6D **32**
deswell Clo. *Stav* —2B **16**
ssington Clo. *Ches* —5F **13**
llbridge Rd. *Mas M* —6H **9**
om La. *Duck* —5E **17**
ontine Rd. *Ches* —2C **22**
op Pingle Clo. *Brim* —3G **15**
op Rd. *Cal* —2H **23**
op Rd. *Wing* —5H **29**
orrani Way. *N Wing* —1H **35**
otley Mt. *Brim* —2F **15**
ower Cres. *Bsvr* —4F **27**
own End. *Bsvr* —3E **27**
affic Ter. *Bar H* —4B **8**
affic Ter. *Has* —5D **22**
anmere Av. *Clay C* —5F **35**
ee Neuk Clo. *Ches* —1F **21**
elawney Rd. *Clay C* —5F **35**
ent Gro. *Dron* —3F **3**
evose Clo. *Ches* —5G **21**
inity Clo. *Ches* —6B **14**
oon Clo. *Ches* —4G **21**
oughbrook Hill. *Ink* —2C **16**
oughbrook Rd. *Holl* —1B **16**
dor St. *Stav* —6F **9**
nstall Grn. *Ches* —3H **21**
nstall Way. *Ches* —3H **21**
pton Moor Clo. *New T*
     —5F **31**
pton Way. *Hlmwd* —5D **32**
rnberry Clo. *Ches* —4G **21**
rner Clo. *Dron* —5D **2**
rner Dri. *Ink* —2B **16**
rnoaks La. *Ches* —5C **22**
(in two parts)
ventywell Dri. *Shef* —1A **2**
ventywell La. *Shef* —1A **2**
ylney Rd. *Ches* —4F **21**

Ilswater Clo. *Dron W* —4C **2**
Ilswater Dri. *Dron W* —5C **2**
Ilswater Pk. *Dron W* —4C **2**
Ilswater Pl. *Dron W* —4C **2**
verston Rd. *Ches* —4H **13**
nderhill Rd. *Blbgh* —2F **11**
nion Wlk. *Ches* —1C **22**
nstone-Dronfield By-Pass.
   Dron W —5D **2**

Unstone Hill. *Uns* —6H **3**
Unstone Rd. *Ches* —3B **6**
Upland Ri. *Ches* —3H **21**
Upper Cft. *Dane* —5F **35**
Upper Cft. *New T* —6F **31**
Up. Croft Clo. *Brim* —3G **15**
Up. King St. *Brim* —1H **15**
Up. Mantle Clo. *Clay C* —4E **35**
Up. Mill Cotts. *Alt* —3A **34**
Up. Moor St. *Ches* —2F **21**
Up. Newbold Clo. *Ches* —3F **13**
Up. School La. *Dron* —6F **3**
Upwood Clo. *Ches* —5E **13**

Vale Clo. *Bsvr* —3E **27**
Vale Clo. *Dron* —5F **3**
Valley Cres. *Ches* —2E **23**
Valley Ri. *Barl* —5B **4**
Valley Rd. *Barl* —4B **4**
Valley Rd. *Bsvr* —4E **27**
Valley Rd. *Ches* —2E **23**
Valley Rd. *Clay C* —4C **34**
Valley Rd. *Mas M* —4A **10**
Valley Vw. *Bsvr* —5F **27**
Valley Vw. Clo. *Has* —5G **23**
Vanguard Trad. Est. *Ches*
     —5D **22**
Venture Way. *Ches* —1B **14**
Vernon Ri. *Gras* —4H **31**
Vernon Rd. *Ches* —1H **21**
Vicarage Clo. *Heath* —4H **33**
Vicar La. *Ches* —1C **22**
Victoria Av. *Stav* —5F **9**
Victoria Gro. *Brim* —5H **15**
Victoria Pk. Rd. *Brim* —5H **15**
Victoria St. *Bsvr* —4F **27**
Victoria St. *Brim* —1H **15**
Victoria St. *Ches* —6C **14**
Victoria St. *Clay C* —5E **35**
Victoria St. *Dron* —4D **2**
Victoria St. N. *Old W* —6B **6**
Victoria St. W. *Ches* —2G **21**
Victoria Wlk. *New T* —5F **31**
Villas Rd. *Bsvr* —2C **26**
Vincent Cres. *Ches* —2F **21**
Vincent La. *Ches* —2F **21**
Vivian St. *Shut* —4D **18**

Walgrove Av. *Ches* —3A **22**
Walgrove Rd. *Ches* —3H **21**
Walton Bk. La. *Walt* —5C **20**
Walton Clo. *Ches* —4F **21**
Walton Clo. *Dron W* —4A **2**
Walton Cres. *Ches* —3A **22**
Walton Dri. *Ches* —3A **22**
Walton Dri. Ct. *Ches* —3A **22**
Waltonfields Rd. *Ches* —2H **21**
Walton Rd. *Ches* —2H **21**
Walton Wlk. *Ches* —2A **22**
Walton Way. *Wing* —2A **30**
Wardgate Way. *Ches* —5E **13**
Ward La. *Blbgh* —1E **11**
Wardlow Clo. *Ches* —4B **22**
Ward St. *New T* —6F **31**
Wards Yd. *Dron* —5E **3**
Warner St. *Ches* —3D **22**
Warren Ri. *Dron* —3G **3**
Warwick St. *Ches* —5D **22**
Wash Ho. La. *Ches* —2G **21**

Watercress La. *Dane* —6F **35**
Wateringbury Gro. *Stav* —6F **9**
Water La. *Bsvr* —4C **26**
Waterloo St. *Clay C* —4E **35**
Water Mdw. La. *Ches* —3F **13**
Watson La. *Wing* —3G **29**
Wayford Av. *Has* —3D **22**
Wayside. *Brim* —2F **15**
Wayside Clo. *N Wing* —1H **35**
Wayside Ct. *Brim* —2F **15**
Webster Cft. *Old W* —6D **6**
Welbeck Clo. *Dron W* —4A **2**
Welbeck Clo. *Ink* —4D **16**
Welbeck Ct. *Clow* —6G **19**
Welbeck Rd. *Bsvr* —3F **27**
Welbeck Rd. *Wing* —2A **30**
Welfare Av. *Ches* —1H **21**
Wellington St. *New W* —4F **7**
Wellspring. *Blbgh* —2F **11**
Well Spring Clo. *Brim* —3G **15**
Wellspring Clo. *Wing* —2D **30**
Wells St. *Bsvr* —4G **27**
Welshpool Pl. *Ches* —2H **21**
Welshpool Yd. *Ches* —2H **21**
Welwyn Clo. *Ches* —1H **21**
Wenlock Clo. *Ches* —6H **13**
Wenlock Cres. *Ches* —6G **13**
Wenlock Dri. *Gras* —3H **31**
Wenlock Wlk. *Ches* —3H **31**
Wensley Rd. *N Wing* —3H **35**
Wensley Way. *Stav* —2C **16**
Wentworth Av. *Ches* —4A **22**
Wentworth Rd. *Dron W* —5A **2**
Wessington Dri. *Stav* —2C **16**
Westbank Clo. *Coal A* —2F **3**
Westbank Ct. *Coal A* —2G **3**
West Bars. *Ches* —1B **22**
Westbourne Gro. *Ches* —1F **21**
Westbrook Clo. *Ches* —2D **20**
Westbrook Dri. *Ches* —2D **20**
West Cres. *Duck* —5G **17**
West End. *Blbgh* —1E **11**
Westfield Av. *Ches* —3F **21**
Westfield Bank. *Blbgh* —1E **11**
Westfield Clo. *Ches* —2F **21**
Westfield Gdns. *Ches* —2F **21**
Westfield La. *Blbgh* —1D **10**
Westfield La. *Mid H* —1H **7**
Westfield Rd. *Dron* —6G **3**
Westhill La. *Gras* —3G **31**
Westlands. *Bar H* —5B **8**
West Lea. *Ches* —2F **21**
W. Lea Cotts. *Clow* —4H **11**
Westleigh Ct. *Ches* —5A **14**
Westmoor Rd. *Brim* —6H **15**
W. Occupation Clo. *Blbgh*
     —1E **11**
Weston Clo. *Ches* —4E **13**
West St. *Ches* —6B **14**
West St. *Clay C* —4C **34**
West St. *Clow* —4H **19**
West St. *Dron* —4D **2**
West Vw. *Bsvr* —4F **27**
West Vw. *Ink* —1D **16**
W. View Rd. *Ches* —4A **14**
Westwick La. *Holy* —2B **20**
Westwood Av. *Stav* —2C **16**
Westwood Clo. *Ink* —5C **16**
Westwood Dri. *Ink* —5C **16**
Westwood La. *Brim* —6H **15**
Westwood Rd. *Cal* —6A **16**

Wetlands La. *Ches* —6G **15**
Whaley Rd. *Bsvr* —1H **27**
Wharf La. *Ches* —6C **14**
Wharf La. *Stav* —5F **9**
Wheatbridge Rd. *Ches* —1A **22**
Wheatcroft Clo. *Dane* —6F **35**
Wheatcroft Clo. *Wing* —2C **30**
Wheatfield Way. *Ash* —5D **12**
Wheathill Clo. *Ash* —5D **12**
Wheathill Clo. *Brim* —6H **15**
Wheathill La. *Ches* —6F **15**
Wheatlands Rd. *Wing* —2A **30**
Wheeldon Cres. *Brim* —2F **15**
Wheeldon La. *Ches* —1C **22**
Whinacre Clo. *Shef* —1E **3**
Whinacre Pl. *Shef* —1E **3**
Whinacre Wlk. *Shef* —1E **3**
Whitebank Clo. *Ches* —3D **22**
Whitecotes Clo. *Ches* —4A **22**
Whitecotes La. *Ches* —4A **22**
Whitecotes Pk. *Ches* —4B **22**
White Edge Clo. *Ches* —5H **13**
Whitehead St. *Stav* —6F **9**
Whitehouses. *Ches* —3D **22**
White Leas. *Ches* —6F **13**
White Leas Av. *N Wing*
     —6A **32**
White Rd. *Stav* —5G **9**
Whites Cft. Vw. *Blbgh* —2F **11**
(off Bracken La.)
White Thorns Clo. *Shef* —1F **3**
White Thorns Dri. *Shef* —1F **3**
White Thorns Vw. *Shef* —1F **3**
Whitmore Av. *Gras* —4G **31**
Whittington Hill. *Old W*
     —1C **14**
Whittington La. *Uns* —2A **6**
Whittington Rd. *New W* —4G **7**
Whittington Way. *Whit M*
     —1C **14**
Whitting Valley Rd. *Old W*
     —1C **14**
Whitton Pl. *Duck* —5G **17**
Whitworth Rd. *Ches* —4B **14**
Wickens Pl. *Mas M* —4H **9**
Wigley Rd. *Ink* —4C **16**
Wikeley Way. *Brim* —2F **15**
Wildaygreen La. *Barl* —6A **4**
Wilkin Hill. *Barl* —1C **12**
Wilkinson Clo. *Ches* —6C **22**
(in two parts)
Wilkinson Dri. *Ink* —3B **16**
William St. *Ches* —4C **14**
William St. N. *Old W* —6B **6**
Williamthorpe Clo. *N Wing*
     —1H **35**
Williamthorpe Rd. *N Wing*
     —1H **35**
Willow Ct. *Cal* —1A **24**
Willow Dri. *Mas M* —4A **10**
Willow Gth. Rd. *Ches* —2G **13**
Willow Ter. *Clow* —6G **19**
Wilson Av. *Clow* —4G **19**
Wilson Clo. *Dane* —6F **35**
Wilson La. *Heath* —4H **33**
Wilson Rd. *Coal A* —2G **3**
Wilson St. *Dron* —6F **3**
Wimborne Cres. *Ches* —3A **14**
Winchester Clo. *N Wing*
     —2H **35**
Winchester Rd. *Ches* —3A **14**

Windermere Av. *Dron W*
—5C **2**
Windermere Rd. *Ches* —3G **13**
Windermere Rd. *Clay C*
—5D **34**
Winders Corner. *Blbgh* —3F **11**
Windmill Clo. *Bsvr* —1E **27**
Windmill La. *App* —3C **6**
Windsor Clo. *Ches* —3G **21**
Windsor Dri. *Dron W* —5A **2**
Windsor Dri. *Wing* —3A **30**
Windsor Wlk. *Has* —3E **23**
Windy Fields Rd. *Holy* —5B **20**
Wingerworth Cotts. *Gras*
—3G **31**
Wingerworth Hall. *Wing*
—3C **30**
Wingerworth St. *Gras* —3G **31**
Wingerworth Way. *Ches*
—6B **22**
Wingfield Clo. *Dron W* —5A **2**
Wingfield Rd. *New T* —6F **31**

Winnat Pl. *Ink* —3C **16**
Winnats Clo. *Ches* —5G **13**
Winster Clo. *Old T* —3C **34**
Winster Ct. *Ches* —6C **14**
Winster Rd. *Stav* —2C **16**
Wisbech Clo. *Ches* —4A **22**
Witham Clo. *Ches* —4E **15**
Witham Ct. *Ches* —1G **21**
Wolfcote Clo. *Dane* —6F **35**
Wolfe Av. *New T* —6F **31**
Wolfe Clo. *Ches* —3H **21**
Woodbridge Ri. *Ches* —4F **21**
Woodbridge Rd. *Blbgh*
—1E **11**
Wood Clo. *Wing* —2H **29**
Woodford Way. *Bar H* —4B **8**
Woodhead La. *Clay C* —6A **34**
Woodhouse La. *Blbgh* —3A **10**
Woodhouse La. *Bsvr* —6C **18**
Woodhouse Rd. *Bsvr* —2D **26**
Woodland Gro. *Clow* —5H **19**
Woodland Gro. *Old T* —1D **34**

Woodland Rd. *Ches* —4B **6**
Woodlands. *Brim* —3F **15**
Woodland Wlk. *Ches* —5D **12**
Woodland Way. *Old T* —3D **34**
Woodleigh Clo. *Ches* —5D **12**
Woodnook Clo. *Ash* —6E **13**
Woodnook La. *Ash* —5D **12**
Woodnook Way. *Ash* —6D **12**
Woodside Clo. *Ches* —6F **13**
Woodside Pl. *Clay C* —4D **34**
Woodstock Dri. *Has* —4E **23**
Woodstock Ri. *Has* —4E **23**
Wood St. *Hlmwd* —5E **33**
Woodthorpe Av. *Clay C*
—4C **34**
Woodthorpe Clo. *Shut* —4D **18**
Woodthorpe Rd. *Mas M*
—6A **10**
Woodthorpe Rd. *Shut* —1C **18**
Woodvale Clo. *Ches* —4E **21**
Woodview Clo. *Wing* —3B **30**
Woolley Clo. *Old T* —1D **34**

Wordsworth Pl. *Dron* —1G **5**
Wordsworth Rd. *Ches* —2B
Works La. *Cal* —2B **24**
Worksop Rd. *Stav* —6G **9**
Works Rd. *Holl* —5B **8**
Wreakes La. *Dron* —3D **2**
Wren Pk. Clo. *Ches* —5B **22**
Wrenpark Rd. *Wing* —2H **29**
Wyedale Ct. *Ches* —3A **14**
Wynd, The. *Ren* —1H **9**
Wythburn Rd. *Ches* —3G **13**

Yarncliff Clo. *Ches* —5H **13**
Yeldersley Clo. *Ches* —5F **13**
Yew Tree Dri. *Ches* —4D **20**
Yew Tree Dri. *Old T* —2D **34**
York Pl. *N Wing* —6B **32**
York St. *Ches* —5E **23**